KB178251

우 연

우연

발　행 | 2016년 04월 21일
저　자 | 김재우
펴낸이 | 한건희
펴낸곳 | 주식회사 부크크
출판등록 | 2014.07.15.(제2014-16호)
주　소 | 경기 부천시 원미구 춘의동 202 춘의테크노파크2단지 202동 1306호
전　화 | (070) 4085-7599
이메일 | info@bookk.co.kr

ISBN | 979-11-5811-912-6

www.bookk.co.kr

우
연

김재우 지음

CONTENT

제 3 장 - 이 유

프롤로그

그들의 대화

"이쪽이 몇 달 후에 태어날 아이인가요?"

내가 먼저 관리인에게 다가가며 말을 건넸다. 그는 하얀색 천이 넓게 감겨 있는 간이침대 옆 낡은 의자에 앉아 잠시 생각에 빠진 듯 쉬고 있었다. 침대 위에는 하얀 천들 사이로 갓난아이가 순진한 표정을 한 채 누워 있었다. 관리인은 잠시 머리를 긁적이다가, 내가 말을 건네자 조금 귀찮다는 듯이 벽에 손을 집고 간신히 몸을 일으켰다. 관리인은 짧고 진한 검은 머리에 갈색 빛이 감도는 깊은 눈을 갖고 있었고, 그의 선한 인상에서는 알 수 없는 따뜻함이 느껴졌다.

"네. 아마 수도권 쪽에서 태어나지 않을까 생각하고 있어요."

관리인은 그렇게 무심히 말을 내뱉고는 돌아서서 책상에 놓여있던 서류 파일들을 정리하기 시작했다. 내가 보기엔 그는 이곳에 들어 온지 몇 년 되지 않은 신참 같았다. 아닌 것처럼 행동하고 있지만, 아직은 좀 서투른 그의 서류 정리 솜씨가 그것을 보여주고 있었다.

"여기서 얼마나 일했죠?"

내가 물었다.

"한 7년에서 8년?"

역시 예상대로 그리 오래 되진 않았다. 우리들 사이에서는 흔히 50년 이하로는 모두 신참이라고 부르니 말이다.

흥미로운 것은 그가 매우 낯이 익다는 것이었다. 그는 키가 굉장히 작았고, 너무도 앳된 남자 아이의 모습이었다. 그에게 언제 무슨 사연으로 이곳에 오게 되었는지 묻지는 않았다. 우리들은 어차피 나이라는 개념이 존재하지 않는 곳에서 살아가기에, 그가 아이의 모습을 하고 있더라도 그것은 나에게 크게 중요치 않았다. 그는 이곳에서 충분히 가치 있는 존재이며, 우리들의 일원이기 때문이다.

"아기가 귀엽게 생겼네요. 준비는 충분히 된 건가요?"

아이의 눈을 바라보며 내가 관리인에게 물었다. 그러자 아이가 환한 미소를 지으며, 자신의 두 짧은 팔을 뻗어 내 얼굴을 이리저리 만지기 시작했다. 나는 그 작은 손을 바라보며, 아이의 이마 위에 조심스레 내 손을 얹었다. 그리고 잠시 두 눈을 감았다. 그리고 잠시 후 내가 다시 눈을 뜨자, 서류를 정리하던 관리인과 눈이 마주쳤다.

"기획 단계는 아직 미완성인 것 같아요. 아마 곧 완성 되는 대로 저 아래로 보내지겠죠."

그는 그렇게 말하면서 바닥을 향해 검지를 내밀었다.

"그럼 부모는요?"

내가 아이 머리맡에 있던 서류철을 꺼내 열어보며 물었다. 하얀 서류철에는 아이에 대한 간단한 신상명세가 적혀 있었다.

"글쎄요, 아마 미망인이 있는 쪽으로 보낸다고 들었어요. 이 아이가 그 쪽을 원했다는군요. 경제적으로는 조금 어렵다고 하더군요. 하긴, 재산이 그리 중요한 부분은 아니지만요."

나도 그가 하는 말에 깊이 공감했다.

"있으나 없으나 겪어야 하는 것들은 모두 같으니까요."

나는 하얀 간이침대를 향해 몸을 숙였다. 그리고 나를 향해 웃고 있는 아기의 눈을 다시 한 번 깊이 들여다보았다. 커다란 눈망울 가진 아이. 하루 빨리 세상에 나아가길 원하는 아이. 아직 스스로는 세상에서 어떤 일이 펼쳐질지 알지 못한 채, 그저 자신의 어머니를 보고 싶어 하는 아이.

"아이가 당신 마음에 들었나보군요."

관리인이 소탈하게 웃으며 나에게 말했다.

"눈이 마음에 드네요."

내가 아이의 눈을 가리키며 대답했다.

"상부에서 특별히 눈에 신경을 썼나보네요."

관리인이 그렇게 대답하자, 나는 다시 한 번 아이를 바라보며 곰곰이 생각해보았다. 내가 보기엔 아이의 눈이 단순히 예쁜 것이 아니라, 앞으로 닥칠 이 아이의 미래가 아름답다는 느낌이었다. 아마 내게는 이 아이의 눈을 통해, 내면 깊숙이 그 무언가가 보이기에 더욱 그러했을 것이다.

"제가 이 아이 자료를 좀 더 봐도 될까요?"

내가 손을 뻗어 아이의 머리를 쓰다듬으며 관리인에게 물었다.

"미안하지만, 그 이상은 본인 담당이 아닐 경우에는 볼 수가 없어요. 그건 다들 알지 않나요?"

관리인이 고개를 저으며 말했다.

"그렇지요."

내가 약간 실망한 표정을 짓자, 그가 당황한 듯 입을 열었다.

"뭐, 정 원한다면 이 아이를 담당하는 쪽과 슬쩍 이야기 해볼 수는 있어요."

그의 말을 듣고 내가 고개를 저었다.

"아니에요. 그저 잠시 호기심이 생겼어요."

"호기심이라, 어느덧 당신도 사람처럼 되어가는 지도 모르겠군요."

그가 살짝 비꼬는 투로 말했다.

"그럴 지도요. 이 일도 꽤 오래 됐으니까요."

어느 덧 나는 753번째 사람을 담당하게 되었다. 현재 담당하는 여인과는 벌써 45년째 인연이 되었다. 그녀 또한 내앞에 누워있는 아기처럼 태어나는 순간, 수도권으로 보내졌었다. 재미있는 것은, 그녀 역시 이 아이와 같은 눈을 가진사람이었다. 어떤 아름답고 간절한 경험을 하게 될 눈 말이다.

지난번 내가 담당했던 사람은 시카고에서 태어났다. 그곳이 내가 한국으로 파견 오기 전에 근무했던 곳이기 때문이다. 그 사람은 7세의 나이로 사망했었다. 그의 부모가 켜두고 나간 가스레인지로 인해 집이 불타버렸고, 그 사람은 결국 태어 난지 7년 만에 다시 이곳으로 돌아왔다. 그는 다음을 위해 현재 대기 중에 있으며, 이곳에서의 평화로운 삶을보내고, 다시 저 아래로 돌아가기 위해 앞으로 그에게 다시펼쳐질 삶을 재설계하는 작업에 참여하고 있다.

우리가 인간들에게 일부러 죽음을 의도하진 않지만, 이따금 씩 고통을 의도하기는 한다. 진정으로 죽음을 부르는 것들은 그저 인간 스스로가 하는 행동들에서 나오기 마련이다.

다만, 자살의 경우에는 다시 태어날 기회를 모두 잃게 된다. 그들은 하늘의 계획에도, 그들의 자신의 계획에도 없던 예외의 인물들이기 때문이다.

보통 일찍 돌아온 경험이 있는 인간일수록, 혹은 힘든 삶을 산 사람일수록, 재설계 작업에서 더 열정적인 모습을 보여 주곤 한다. 그것은 상부가 원하는 것 중에 하나이기도 하다.

그래서 처음으로 태어나는 사람들에게는 더 힘든 일을 겪게 하는 경우가 많다. 그래야 돌아왔을 때 그만큼 그들의 다음 생애를 더 간절한 마음으로 잘 설계할 수 있기 때문이다. 모든 것이 그들의 뜻대로 정해지는 것은 아니지만, 그 내용의 일부가 상부의 검토를 거친 후에 타당성이 있을 경우 대부분 반영되는 편이다.

"지금 담당하는 사람은 어때요?"

관리인이 밀린 서류 파일들을 한 쪽으로 밀어 넣으며 말했다. 그 파일들은 마치 무지개처럼 각각 다른 색이었다. 그리고 각 파일의 표지마다 여러 사람들의 이름들이 적혀있었다.

"정희 씨 말하는 거죠?"

"그 사람 말고 또 담당하는 사람이 있나요?"

"아니요. 그냥 되물어 본거에요."

내가 그렇게 말하자, 그가 손을 절레절레 저으며 웃었다. 그리고 나를 한 번 쳐다보더니, 다시 주위를 두리번거렸다.

"서로 예민해지지 말아야겠네요. 안 그래도 요즘 너무 많은 사람들이 들락날락하니까 정신이 없어요. 차라리 가끔은 한 번에 다 보내고 안 들어왔으면 할 때도 있다니까요."

나도 그 말에 공감했다. 나도 정신없기는 마찬가지니까.

"상부의 뜻이니까요."

그렇게 내가 대답했다.

"결국 그렇죠."

그도 고개를 끄덕였다.

요즘 유난히, 많이 가고 많이 오는 시기이다. 그러기에 관리팀은 바쁠 수밖에 없다. 물론 이 시기에는 그들이 바쁠 거라는 것도 모두가 이미 알고 있었지만 말이다.

"아무튼 정희 씨는 나쁘지 않아요. 잘되어 간다고 할 수 있지요. 물론 남편과 그렇게 되고는 요즘도 여러 가지로 힘들어하는 것 같기는 한데, 원래 그것이 그녀가 겪어야할 것이니까요."

내가 정희 씨에 관해 말해주자, 그가 무언가 고민하는 표정을 지었다.

"그런가요? 자식 문제도 있겠죠?"

"틀린 말은 아닌데, 자세한 건 담당자인 저 외에는 알 수 없죠."

내가 담당자의 권한에 대해 들먹이자, 관리인이 피식하고 웃는다.

"이렇게 한방 먹네요."

그가 머리를 긁적였다.

내가 담당하고 있는 정희 씨는 어렸을 적, 경제적으로 매우 어려운 가정에 보내졌다. 그녀는 항상 결혼이 그녀의 삶의 유일한 탈출구가 되어줄 거라 믿었지만, 현실은 그렇지 못했다. 아니, 오히려 결혼 후의 삶이 그녀에겐 더 힘들었을 것이다.

인간의 삶에는 반드시 바닥을 경험하는 순간이 필요한 법이다. 누군가는 어릴 적에, 또 누군가는 나이가 들어 그것을 경험하게 된다. 물론 그것도 그저 모든 계획의 일부지만 말이다.

"그 여자, 전생에는 어떻게 살았죠?"

관리인이 또 다른 질문으로 대화를 잇는다.

"젊었을 때는 굉장히 가난했지만 결국 다 이겨냈어요. 그런 경험들이 밑거름이 되어 노년기에는 사람들을 돕기 위해 살다 왔었죠."

그녀는 전생에 많은 기쁨을 세상에 나누어주는 길을 택했다. 대부분의 사람들이 다음 생애를 준비 할 때 가장 선호하는 인생이기도 하다. 가난, 그리고 그 이후의 또 다른 축복의 길로 이어지는 인생 말이다. 물론 보통은 그것을 죽고 나서야 깨닫지만 말이다.

돈이든, 사람이든, 간절함을 겪기 전까지는 무엇이든 얻을 수 없는 법이다. 흔히, 우리들 사이에선 농담 삼아, 초년의 가난이 인기 품목이라고도 말한다. 반대로 초년의 성공은 휴지 조각이라고도 부른다. 가는 빗줄기 속에서 휴지가 금세 녹아 없어지는 것처럼 말이다.

"그래서 그녀가 이번에는 조금 다른 인생을 택한 건가요? 조금 더 힘든 삶이요?"

"네. 경제적 상황뿐만 아니라, 여러 가지로 힘들 거예요. 그 점에서 그 전과는 조금 다르겠지요. 어차피 사람들에겐 여러 가지 선택권이 있으니까요. 고통 또한 그녀가 원한 것이었어요. 그것이 그녀의 새로운 삶을 빛나게 할 거라는 사실을 알고 있었으니까요."

"겪어 본 사람만이 알 수 있는 지혜이지요. 그건 그렇고, 언제 다시 도와주러 갈 거죠?"

"글쎄요. 지금은 피곤해서 자고 있더라고요."

"저는 현장보다는 관리직 쪽이라, 당신들이 어떻게 그런 일들을 하는지 궁금할 뿐이네요."

그러면서 관리인이 나를 향해 엄지손가락을 내밀었다. 나도 감사하다는 표현으로 가볍게 목례를 한다.

"저야 뭐 이쪽이 잘 맞네요. 그리고 저희보다야 관리 쪽이 상당히 중요한 역할이지요."

그러자 관리인이 고개를 끄덕이며 말한다.

"결국 세상에 중요하지 않은 역할은 없는 듯합니다."

그런 그의 말에 나도 공감했다. 결국 모든 역할에는 항상 이유가 있는 법이니까 말이다.

대화를 계속 하려다가 침대 위에 아이가 잠든 모습을 보니, 시간이 꽤 흘렀음을 알 수 있었다. 여기에 이렇게 계속 남아 있고 싶었지만, 나에게는 아직 돌아가 할 일이 많이 남아 있었다.

"저는 이만 가봐야 할 것 같네요."

"네. 수고하세요. 저는 아직 서류를 더 봐야 해서."

관리인은 그렇게 말하며 파란 서류철 하나를 들어, 나에게 보여주었다.

나는 그에게 알았다는 표시로 고개를 끄덕이고는, 다시 내 앞의 아기를 바라보았다.

'우리를 보았던 기억들도 그가 태어나고 시간이 지나면서 점차 사라지겠지.'

나는 그렇게 생각하고, 뒤를 돌아 복도를 따라갔다.

하얀 벽과 하얀 불빛이 가득한 곳. 언제나 나를 안정감이 들게 해주는 복도이다. 언제나 그렇듯 나는 그저 널찍하고 평안을 주는 이 복도를 따라 걸어간다.

어느새 나는 하얀 문 앞에 도착한다. 문을 연다. 그러자 그 안에는 하얀 복도와 대조되는 밤하늘이 보였다. 유난히 오늘은 밝고 커다란 달이 눈에 띈다. 항상 보아온 세상이지만, 나는 그것이 아름답다고 느낀다.

그렇기에 가끔은 완전한 인간으로 태어나고 싶다는 생각도 해봤다. 허나 지금 일을 그만두고 인간으로 태어난다면 이 아름다움을 전부 잊어버릴까 겁도 난다. 지금도 여전히 이 풍경을 볼 수 있으니 나는 그것으로 만족한다. 그것은 나와 일하는 모두가 공감하는 것이다. 지금처럼 잠시라도 하루하루 원할 때마다 인간의 세계를 경험할 수 있다는 것으로 만족하고 있다.

나는 잠시 생각을 멈추고 앞으로 발을 내민다. 서서히 어둠이 나를 감싼다. 차가우면서 동시에 뜨겁다. 매 번 경험하면서도 이해하기 힘든 느낌 중에 하나다. 어쩌면 그것은 인간 세상을 이해할 수 있는 그런 느낌일 것이다.

나를 감싼 어둠이 점점 온 몸으로 파고들기 시작한다. 그것은 어둡지만 아름다운 어둠이다. 내가 영원히 빠지고 싶은 그런 어둠처럼 말이다.

제 1 장

- 벽 -

1. 유진이의 첫 번째 우연
-AM 05:05-

순간 눈을 뜬다. 깜빡 잠이 들었나보다. 정말 이상한 꿈을 꾸었다. 숨 막히게 무언가에 억눌린 느낌이었다. 깨어난 후에도 여전히 그 여운이 가시지 않는다.

자세히는 기억하기 힘들지만, 내 온몸이 하얀 빛 속에서 어둠으로 서서히 잠기는 그런 꿈이었다. 나는 숨이 막혀 잠에서 깨어버렸다. 온몸은 손이 닿는 곳마다 식은땀으로 젖어있었다.

'몇 시지?'

어둠 속에서 누운 채로 옆으로 몸을 돌린다. 손을 뻗어 침대 위를 이리저리 더듬는다.

무언가에 손이 닿자, 액정이 어둠 사이로 옅을 빛을 낸다. 핸드폰을 집어 눈앞으로 바짝 가져다 댄다. 눈이 부셔, 미간을 찌 뿌린다. 한 쪽 눈을 감은 채로 간신히 화면을 본다.

어느 덧 새벽 5시.

무거운 느낌의 몸을 들어올린다. 잠을 깨려고 이래저래 머리를 흔들어본다. 그러고 보니 오늘 수학 과제가 있는 날인데, 깜빡했다. 비몽사몽 한 가운데, 기억을 더듬어본다.

분명 오늘 갑자기 남자 친구에게 갑작스런 이별통보를 받고, 집에 오자마자 방 안에 앉아 울기 시작한 것 같다. 그 이후로는 잘 기억이 나질 않는다.

침대에서 나오기 위해 몸을 돌려 한 쪽에 살며시 걸터앉는다. 어둠 속에서 벽을 향해 손을 뻗는다. 천천히 침대에서 내려온다. 그리고는 발에 밟히는 것들을 옆으로 치우며 앞으로 나아간다. 벽에 손이 닿자 다시 벽을 더듬어 스위치를 찾는다.

'탁.'

형광등이 두세 번 깜빡인다. 순간 눈이 부시다. 손을 들어 빛을 살짝 가린다. 어느 정도 빛에 적응이 되자, 문 뒤에 달린 작은 거울 앞에 다가섰다.

부스스한 얼굴. 헝클어진 머리. 팅팅 부어버린 두 눈. 이래서는 분명 내일 학교에서도 하루 종일 눈이 가라앉질 않을 것 같다. 문을 열고 조심조심 소리 없이 화장실로 향한다.

하얀 세면대의 손잡이를 누르자, 찬 물이 쏟아진다. 추운 것도 알지 못한 체 그저 찬물로 얼굴을 씻어내기 시작한다.
아마 보일러가 꺼져 있나보다.

다시 거울을 본다. 붓기가 조금 가라앉긴 했지만, 여전히
충혈 된 눈이 거슬린다. 벽에 걸린 마른 수건에 물기를 닦
아내며 오늘 일어난 일에 대해 생각한다.

여전히 눈물이 나올 것 같다. 울컥하는 마음을 가라앉히
기 위해 마음을 다잡는다. 아니 입술을 꽉 깨문다. 가슴 속
이 답답하다.

다시 몸을 돌려, 화장실의 커다란 거울을 본다. 한숨을
한번 내쉰다. 나는 여전히 교복을 갈아입지 않았다. 짜증
섞인 소리와 함께 오른손으로 긴 머리를 쓸어 넘긴다. 오늘
하루가 어떻게 지나갔는지조차 알기 어렵다.

기분이 붕 떠있는 기분. 또 다른 하루가 어떻게 시작될지
모르는 두려움. 더 이상의 낙이 없어진 기분. 나에게는 어
제가 그런 하루였다.

방에 돌아와 문을 닫는다. 편한 추리닝에 티셔츠로 갈아
입는다. 그리고 바닥에 떨어진 교복을 주워 다시 옷걸이에
걸어놓는다.

책상에 앉아, 바닥에 놓인 가방에서 교과서를 꺼낸다. 샤
프를 들고 오른 쪽에는 노트를 편다. 과제를 하려다가, 잠

시 멈춘다.

스스로가 뭘 하고 있는지 잘 모르겠다. 그저 하루하루의 삶이 의무감에 끌려 다니는 인생 같다. 상황은 문제나 풀고 있을 때가 아닌데, 결국 해야 한다는 압박감에 사로잡혀 나는 이 새벽에 책상 앞에 멍하니 앉아있다.

의자에 머리를 기댄다. 기지개를 켠다. 벽에 붙어있는 상장들을 바라본다. 중학교 시절 그리고 초등학교 시절 받았던 상장들. 허나 지금은 아무 의미 없는 상장들. 그저 벽에 걸린 종이일 뿐. 아무 상황도 바꾸어주지 못할 상장들.

그런 허무한 마음으로 멍하니 벽을 바라볼 뿐, 수학 숙제 따위에 마음을 두지 못한다.

대학 입시가 어느 덧 1년 정도 남았다. 요즘 작년과는 전혀 다른 압박감 속에서 하루하루 지내야했다. 그러다 결국 어제는 남자친구와 헤어졌다. 정확히 말하자면, 차인 것이지만 말이다.

이미 지나간 일에 대해 더 이상 괴로워하고 싶지 않다. 고개를 좌우로 흔들며 걱정 속에서 깨어나려고 해본다.

다시 한 번 한숨을 내쉬고는, 책상 서랍을 열어본다. 분홍색 편지 봉투를 꺼내 그 안에 담긴 여러 장의 편지지를 꺼낸다.

작년 여름, 한국을 떠나 부모님과 함께 독일로 가버린 친구, 수정이의 편지다. 매번 책상에 앉아 답장을 써보려고 노력했지만, 나는 아직 단 한 글자도 쓰지 못했다. 아마 내 스스로도 무슨 말을 해야 할지 몰랐기 때문일 것이다.

편지에 쓰여 있는 내용에 의하면, 독일은 학생들이 그다지 입시에 시달리지 않는다고 했다. 더군다나 수업은 항상 일찍 끝나서, 학교 수업을 제대로 못 따라가는 사람이 아니면 대부분 학원을 가지 않는다고 했다. 오히려 학원을 가는 사람이 이상할 정도로 말이다.

그래서 수정이는 요즘 방과 후에 남는 시간을 이용해 춤 연습에 한창이라고 했다. 그리고 성적도 전혀 뒤처지지 않을 만큼 잘하고 있다는 내용도 함께 있었다.

나는 차마 그런 수정이에게 답장을 할 수 없었다. 반 친구들에게는 이 친구의 이야기조차 꺼낼 수가 없었다. 분명 말 그대로 다른 나라의 이야기였다.

나는 그런 수정이가 너무 부러우면서도, 한편으로는 내 스스로가 비참한 기분이었다. 희망과 즐거움이 가득담긴 편지에 어두운 이야기들로 답장을 하기에는 너무 슬펐기 때문이었다.

의자 등받이에 온몸을 맡긴 채, 눈을 감고 도대체 언제부터 내가 이렇게 어두워져야했는지 생각해본다.

어린 시절에는 분명 공부하는 것이 최선이라 여겼다. 아니, 나를 포함한 모두가 그것이 최선이라 여겼다.

지금도 그 생각에는 변함이 없다. 아니, 그래야할 것이라고 생각한다. 그러나 언제부턴가 엄마와 공부 문제로 다투게 되었다. 의대를 원하는 엄마와 달리, 나는 그저 순수 화학을 공부하길 원했다. 과학이 좋아서라기보다는, 그저 과학 이론들을 머릿속으로 상상하면서 즐거움을 느끼기 때문이었다. 다만, 항상 계산문제에서는 남들의 몇 배의 노력이 필요했다. 내가 항상 취약한 부분이었기 때문에 말이다.

허나 엄마는 내 성적이 잘 나오는 것이 항상 내가 머리가 좋아서라고 생각했다. 그러니 의대를 가야한다고 말하곤 했다. 내가 얼마나 힘들게 노력하고 있는지, 적성이 어떤 과목에 있는지는 알지 못했다. 그저 내 의견이나 물음 같은 것은 아무 소용없었다.

그래서였을 것이다. 엄마와 자주 싸우게 된 이유가 말이다. 엎친 데 덮친 격으로, 최근 들어 성적이 점점 떨어지고 있다. 더 이상 내가 무엇을 잘하는지, 내가 무엇을 좋아하는지 조차 알 수가 없다. 나에게는 스스로에 대해 생각할 시간조차 없기 때문이다.

"유진아, 안자고 뭐해?"

엄마가 눈을 비비며, 방문을 열고 들어왔다.

"그냥 자다가 깼어. 과제도 못했고."

하루 종일 운 것을 들킬까봐, 내가 곧바로 고개를 숙인다.

"공부도 중요한데, 의대 준비하려면 지금부터라도 컨디션 조절 잘해야지. 일찍 자둬."

"의대…."

난 혼잣말로 중얼거렸다. 무언가 더 말하려다가, 이 새벽에는 더 이상 다투고 싶지 않아 그만두기로 한다. 사실은 현재 떨어진 성적으로 나에게 의대는 어림없다고 말하고 싶었다. 더군다나 그 길은 내 의지와는 상관없는 길이었다.

"엄마는 다시 잘게."

"응."

문이 닫힌다. 나는 의자를 다시 책상 쪽으로 돌렸다. 다시 교과서를 편다. 한 문제를 멍하니 바라보다, 다시 샤프를 내려놓는다.

무거운 마음과 함께 책상 위에 얼굴을 파묻는다. 더 이상 눈앞에 아무것도 보이지 않는다. 나는 그대로 잠을 청하기로 한다. 그것만으로도 조금은 마음이 편해지는 것 같으니까.

"유진아. 네가 나와서 풀어봐라."

"야, 너 부르잖아."

옆자리에서 연희가 다급한 듯 나를 흔든다. 정신을 차려 보니, 선생님이 나를 날카롭게 째려보고 있었다.

교실 전체의 모든 눈들이 나를 향해있다. 나는 턱을 괴고 있던 오른 손을 조심스레 내렸다. 그리고 살며시 멋쩍은 표정으로 의자를 뒤로 민다. 천천히 일어나 칠판을 향해 나아 간다. 그 앞에 다다랐을 때, 손을 뻗어 칠판 구석에 있는 짧고 하얀 분필을 집어 들었다. 문득 그것이 나와 같다는 생각이 든다. 깔끔하고 긴 자태를 뽐내던 분필들도, 시간이 지날수록 누군가에 의해 부러지고 짧아지면서 결국 생을 마 감한다.

만약에 이 세상에 보이지 않는 커다란 존재가 있다면, 나를 짧아져가는 몽당 분필처럼 바닥에 문지르고 있을 것이 다. 언젠가는 이 세상에서 사라지도록 말이다.

"다 풀었으면, 들어가도 된다."

자리에 돌아와 다시 앉는다. 다시 턱을 괴고는 왼 쪽으로 고개를 돌려 바람이 불어오는 창밖을 바라본다.

넓은 운동장에서 공을 주고 받으며 뛰어 노는 아이들. 바다를 연상시키는 구름과 푸른 하늘. 그 사이를 가르며 여행을 떠나는 바람들. 마치 세상의 모든 것이 나를 향해 도망치라고 말하고 있는 듯했다.

"얘들아, 이 문제는 어때? 여기에 이것을 더해서…."

선생님의 소리는 어느 덧 내 귀에 들리지 않는다. 오히려 옆 자리에서 연희가 엎드려 자는 소리가 고요함을 뚫고 귓가에 더 뚜렷하게 전해진다.

언제부터인가 세상의 모든 것이 잠들어있다. 아니, 원래 잠들어 있었으나 이제야 그것이 내 눈에 보이기 시작한 것인지도 모른다. 운동장의 아이들도, 하늘도, 바람도, 친구들도, 나 의외의 모든 것들이 잠들어 있는 기분이다. 서로가 서로를 들을 수가 없다.

"자, 반장. 인사해야지."

오늘 따라 10분 일찍 끝난 수업. 선생님의 말이 들렸는지, 옆에 있는 연희가 책상 위에 자신이 만들어놓은 작은 물바다로부터 천천히 머리를 들어올린다. 본인도 놀랐는지, 왼 손으로는 입을 한 번 문지르고, 오른 손으로는 급하게 자신의 머리를 정리한다.

"차렷, 경례."

반장의 목소리를 따라, 모두가 일제히 인사한다.

선생님이 문을 닫자마자, 동시에 쏟아지는 한 숨 소리들. 종이가 넘어가는 소리들. 의자가 바닥을 긁는 소리들. 기지개를 켜는 소리들.

갑작스레 고요함을 채우는 활기가 전해진다. 마치 하얀 종이 위에 채워지는 색색별의 물감처럼, 나는 그제야 모두가 살아있음을 느낀다.

"너 어제 그 녀석한테 차인 것 때문에 그래?"

옆 자리에서 연희가 눈을 비비며, 나를 골똘히 쳐다보았다.

"뭐, 여러 가지로…."

내가 한 손으로 턱을 괸 상태로, 연희를 바라봤다. 그리고 나는 그렇게 힘없이 대답했다.

"유진아, 너 예전에는 그래도 좀 활달 했었는데, 언제부턴가 말 수가 너무 줄어든 것 같아. 나보다 친구도 많았으면서…."

나도 조금은 느끼고 있었다. 언제부턴가 말할 상대가 사라져버린 것 말이다. 아니, 더 정확히 말하자면 내가 속마음을 누군가에게 말하지 않게 된 것이 말이다.

물론, 그것이 남자 친구와 헤어진 원인 중에 하나이기도 하다. 내가 점점 변해간다는 이유. 그것이 남자 친구가 마지막을 통보한 이유였다.

언제부터 내가 이렇게 변한 것일까 생각해본다. 어쩌면 수정이가 독일로 유학을 가버린 이후 일까? 아니면, 내가 공부와 일상에 회의를 느낀 다음이었을까? 아니면…….

"뭐라고 하는 건 아니고, 그냥 네가 걱정 되서 하는 말이야."

연희가 말했다. 나는 여전히 내가 변한 시기에 대해 생각하고 있었다. 하지만 지금은 그 시기가 언제인지 떠올리기가 힘들다. 어쩌면 알고는 있지만, 마음이 그것을 거부라도 하는 것 같았다.

"고마워. 그리고 준호 일은, 어제 하루 종일 울고 나니까 좀 나아졌어."

"너, 생각보다 정리가 빠른데?"

"무슨, 어제까지는 계속 질질 짰대도."

갑자기 어제 일이 생각나서 잠시 눈을 질끈 감는다.

-PM 05:00-

어느새, 붉은 노을이 하늘을 덮는다. 오늘 유난히 진한 노을빛으로 덮인 하늘이다. 청소를 마치고 대부분의 아이들이 학교를 나선 오후. 적막함에 왠지 모를 쓸쓸함이 밀려온다.

'선생들도 대부분 퇴근했겠지?'

멍하니 교실 한 쪽에 서서 창밖을 바라본다. 3층에서 바라본 교정의 모습. 어느 덧 저 멀리 보이는 집에 가는 아이들의 뒷모습. 여전히 집에 가지 않고 운동장에서 골대 사이를 누비는 아이들.

나의 쓸쓸함을 더해주는 풍경 속에서 마음속으로 작은 기적을 바래본다.

'이대로 그냥 대학생이 됐으면 좋겠어.'

가끔 친구들이 아침에 일어나는 순간마다, 순간 이동하는 초능력을 갖고 싶다고 말한 적이 있다. 마음만 먹으면 순식간에 학교로 날아갈 수 있는 그런 능력 말이다.

허나 나는 그냥 지금 시간 여행을 떠나버리고 싶다. 이대로 대학생이 되거나, 아니면 눈을 한 번 깜빡이면 머리가 좋아지는 초능력도 나쁘지 않을 것 같다.

얼마 전 대학생 된 사촌 언니와 직장에 다니는 사촌 오빠를 만났었다. 처음 대학가로 나를 불러내서는 밥을 사주면서 이런 저런 이야기를 했었다. 그 날 정말 재미있었던 것은 사촌 오빠와 사촌 언니가 서로 다른 이야기를 하면서 티격태격 했던 것이다.

"너 고등학교 때가 정말 좋은 거야. 대학가면 다들 취직 준비에, 영어 준비에 정신없어. 그러니까 일단 고등학교 있을 때, 열심히 해놔."

사촌 언니가 그렇게 말하자, 사촌 오빠가 갑자기 언니의 말을 끊었다.

"야, 야. 직장 가봐, 대학생 때 정도면 천국이야, 천국. 너나 열심히 좀 해봐."

"오빠는 무슨. 맨 날 학교에서 술이나 먹어 놓고는 뭐가 그리 힘들었다고."

사촌 언니가 콧방귀를 뀌자, 오빠는 얼굴이 새빨갛게 달아 오른 듯 했다. 그리고는 곧 목소리가 다소 묵직하게 변했다.

"오히려, 요즘이 더 많이 먹는 것 같아. 야, 무슨 회식이 뭐 그리 많은지. 야근 때문에 여자 친구 얼굴도 까먹겠어."

그렇게 말하는 사촌 오빠의 얼굴에서는 생기가 사라진 듯 보였다.

나는 숟가락을 들어, 가운데 있는 된장찌개를 한 숟갈 뜨면서 사촌 오빠에게 말했다.

"오빠, 돈 많이 번다고 외가댁 어른들이 칭찬이 자자하던데요?"

그러자 사촌 오빠는 손에 들고 있던 젓가락을 식탁 위에 가볍게 내려놓았다. 그러더니 곧 고개를 절레절레 저었다.

"차라리 그 돈 돌려줄 테니까, 좀 쉬게 해줬으면 좋겠다. 학생 때는 시간은 있는데 돈이 없고, 직장인이 되니까, 돈은 있는데 시간이 없어. 사는 게 뭐 이러냐?"

사촌 오빠의 말에 사촌 언니와 나 모두가 웃었다. 아직은 내가 경험하지 못한 세계라, 잘 모르겠지만, 무언가 아이러니한 이야기들이 오고가는 것만은 확실했다.

그 이후에도 몇 시간을 사촌 둘이 서로 다른 의견으로 다투는 모습을 보고 있으니, 나도 모르게 웃음이 나왔었다. 어쩌면 그 날이 요즘 들어 유일하게 마음껏 웃은 날인지도 모르겠다.

나는 책상 위에 놓인 빨간 가방을 들고 교실 뒷문을 열었다. 그리고 곧 노을빛도 잘 들지 않는 어두운 복도를 향해 나아갔다. 어둑어둑해지는 시간이지만 아직 복도의 불은 켜지지 않았다.

가방의 앞부분에서 지퍼를 열어, 하얀 이어폰 줄이 주렁주렁 묶여 있는 mp3 플레이어를 꺼낸다. 전원을 켜고 이어폰을 한 쪽씩 귀에 꽂는다.

몇 초가 지나자, 이어폰에서 잔잔한 음악이 흘러나온다. 위에 있는 버튼을 눌러, 서서히 볼륨을 높인다. 바이올린과 피아노의 선율이 뒤섞인다.

교복 외투의 주머니를 뒤적거렸다. 핸드폰을 꺼내 시간을 확인한다. 어느새 어둠이 얕게 깔린 계단으로 들어선다.

계단 끝에 다다르니, 복도의 어둑함을 가르고 저녁 노을빛이 들어온다. 때마침 한 아이가 내 앞을 지나간다. 손에 수첩 같은 것을 들고는 골똘히 보고 있다. 혼자 입으로 중얼거리는 것을 보니, 아마 영어 단어인 듯하다.

갑자기 공부할 마음도 없으면서, 괜스레 불안한 마음이 든다. 오늘 배운 것을 다시 생각해 볼까하다가, 그만두기로 한다. 화학 시간과 문학 시간 빼고는 하루 종일 다른 생각

뿐이었기 때문이다.

학교 정문을 나서는데, 선선한 가을바람이 천천히 얼굴을 간질인다. 발밑으로는 낙엽들이 구르는 모습이 눈에 띈다. 낙엽들이 부드럽게 외로운 나를 맞이해주는 듯하다. 함께 집에 가자고 말이다. 낙엽을 따라 학교 정문 앞 언덕길을 터벅터벅 내려간다.

"김유진."

이어폰 사이로 나를 부르는 익숙한 누군가의 목소리가 느껴진다.

고개를 들어본다. 작은 골목 안에 삐딱한 자세로 서있는 남자. 나는 준호를 보고 걸음을 멈추었다.

"왜? 아직 용건이 남았어?"

내가 퉁명스레 쏘아대자, 준호가 조금 가까이 나에게 걸어왔다.

"아니, 그런 건 아닌데…. 그냥 마지막으로 대화하고 싶어서."

우리는 그렇게 골목 길가에 서서 잠시 동안 침묵을 지키다가, 시시콜콜 한 예전 이야기들을 꺼내며 다시 다투기 시작했다.

평소에는 내가 무척 차분하고, 얌전하다고 알고 있는 사람들에게는 한 번도 보여준 적 없는 통제되지 않는 나의 어설픈 모습들. 언제나 준호의 앞에서는 자존심이 앞서고, 강해보이고 싶었다. 거친 말투와 행동들. 다른 사람들은 볼 수 없었던 나의 다른 모습이었다.

"내가 말하고 싶은 건, 네가 먼저 변했다는 거야. 예전에는 공부도 나름 열심히 하고, 활달하던 네가 내 앞에서 이런 식으로 행동할 때마다 내가 무슨 생각한 줄 알아?"

준호가 걱정스러운 눈으로 나를 본다. 불쌍하게 보이고 싶은 마음은 없었다.

"나 때문에 네가 이렇게 된 것 같아서, 죄책감 들고 괴로웠어. 그게 너무 힘들어서 헤어지자고 한 거야. 점점 방황하고 있는 것 같아서…"

한 마디 해주고 싶었다. 나는 너 하나 때문에 마구 휘둘리는 그런 여자가 아니라고 말이다. 내가 변한 건 너 때문이 아니라 내 자신 때문이라고, 또 어쩌면 그런 모습이 내 진짜 모습일지도 모른다고.

"그냥, 너 때문은 아니야. 그것만 알아둬. 그리고…"

"그리고?"

나는 준호를 쳐다보며, 잠시 머뭇거리다 다시 말을 이었다.

"내가 계속 거친 행동을 한 건, 내가 변한 게 아니라, 네 앞이라서 그런 거였어. 다들 겉과 속이 다르게 나를 대하는데, 내가 유일하게 편하게 대할 수 있는 사람이 너였으니까."

준호가 아무 대답도 하지 못했다.

"어차피 이제 헤어졌으니까, 더 이상 필요 없어. 나는 먼저 갈게."

그렇게 말하고는 내가 먼저 돌아섰다. 그리고 발걸음을 재촉한다. 멍하니 벽에 기대고 있는 준호를 뒤로하고, 나는 다시 골목을 걸어 나갔다. 그리고 천천히 언덕을 따라 길을 내려갔다.

어제보다 한결 가뿐한 마음. 가슴이 저린데, 훌훌 털어버린 기분. 눈물이 날 것 같은데, 차라리 잘된 것 같은 기분.

짧은 시간 동안 하늘에는 어느 덧 어둠이 깔려버렸다. 가을바람도 어느새 더욱 차게 느껴졌다.

습관적으로 핸드폰을 켜본다. 갑자기 누군가한테 전화를 걸고 싶어진다. 횡단보도 앞에 서서 멍하니 바닥을 바라본다. 그리고는 누가 내 말을 들어줄까 생각해본다.

'수정이?'

독일에 가버린 수정이. 즐거운 세상, 또 더 넓은 세상을 위해 이곳을 떠나버린 수정이가 그리워진다.

'연희?'

분명 학원에 갔을 것이다. 가장 친하고 대화도 가장 많이 하는 친구지만, 연희는 고리타분한 이야기를 별로 좋아하지 않는다. 항상 편하게 살기를 좋아하는 친구니까 말이다.

'그러면 엄마?'

회사에서 아직 안 왔을 것이다. 어차피 엄마와는 대화가 끊긴지 오래다. 오늘도 회식이려나 모르겠다.

신호등의 불이 켜지자, 다시 발을 앞으로 내민다. 마땅히 생각나는 사람이 없자, 핸드폰을 다시 집어넣는다. 그저 내 오른손만이 그 사실을 어색해할 뿐이다.

대학생으로 보이는 커플들, 퇴근하는 듯한 직장인들. 교복을 입고, 팔짱을 끼고, 불빛 가득한 거리를 걷는 내 또래 여자 아이들.

수많은 인파 속에서 홀로 작은 점이 되어버린 기분이다.

생각해보니 학교에 있으나, 길거리에 있으나, 나는 그저 작은 점이 되어버릴 뿐이다.

"지금이 몇 시지?"

문득 학원 생각이 떠오른다. 손목을 들어 시계를 본다.

작년에 엄마가 일하는 백화점 다른 매장에서 사다 준 시계다. 얇은 갈색 가죽에 연결된 시계의 동그란 은색 빛깔이 눈에 띈다.

시간을 확인해보니 이미 수업시간이 10분을 지나버렸다. 예전 같으면 허겁지겁 학원으로 달려가거나, 발을 동동 구르며 초조해 했겠지만, 오늘은 웬일인지 마음이 차분하다.

나는 어느새 불빛 가득한 거리를 지나, 어두운 골목 안으로 들어갔다. 어둠 사이로, 가끔 일정 간격으로 서있는 노란 빛 가로등 그리고 골목 구석구석 쓰러져있는 배가 잔뜩 부른 쓰레기봉투들이 보였다.

학원에 대한 생각은 잠시 잊은 채, 나는 골목 중앙에 멈춰 섰다. 그리고는 저 멀리 검은 하늘을 모두 날려버릴 듯한 한숨을 내뱉었다. 이제야 마음속이 좀 시원해진다. 오늘은 그냥 집에 가기로 마음먹는다.

몇 분을 걸어가 골목을 나와 코너를 도는데, 어두운 전봇대 밑에 신문지를 두르고 누워있는 한 사람이 보인다. 오래 빨지 못해 검게 바래버린 외투. 신발 끈이 모두 풀려버린 낡은 신발. 잠시 발걸음을 멈춘다.

평소에는 그냥 지나치곤 했는데, 오늘 따라 그냥 갈 수가 없는 것은 왜일까? 가을바람이 차게 느껴지는 날이라서 그럴까? 아니면 혼자라는 외로움 때문에?

나도 모르게 천천히 그 사람에게 다가갔다. 그리고 그렇게 멈춘 채로 그를 바라봤다. 별 다른 이유는 없었다. 그냥 오늘은 그렇게 하고 싶었다. 오늘이 아니면 안 될 것만 같은 느낌이 밀려왔다.

자세히 보니 그가 나를 무슨 짓을 하고 있냐는 표정으로 쳐다보는 듯했다. 아니, 어쩌면 눈을 뜨고 자고 있는 것 같기도 했다. 나는 나쁜 사람이 아니라고 말하려다가, 왠지 바보 같다는 생각이 들어 그만 두기로 한다. 여전히 그에게서는 움직임이나 표정의 변화가 없다.

알 수 없는 작은 메아리 같은 여운이 가슴 속을 맴돈다. 나는 서둘러 가방에 있는 지퍼를 열었다. 그리고 지갑을 꺼낸다. 얼마가 있나 조심스레 뒤적인다. 지갑 속에서 달랑 만 원짜리 한 장을 발견한다. 잔돈이 아닌지라, 잠시 망설이다가, 어차피 가진 것이 이게 전부이기에 그대로 그의 앞에 살며시 내려놓고는, 바로 고개를 돌려 앞으로 다시 집으로 향했다.

처음이었다. 용돈이 그리 많은 것도 아니면서, 가진 전부를 모르는 누군가에게 준 것은 말이다. 오늘은 좀처럼 나의 행동을 이해하기가 힘들다.

-PM 6:20-

13층의 엘리베이터가 열린다. 차가운 엘리베이터의 문이 열림과 동시에 아파트 복도의 노란 등이 시야를 밝혀준다. 나는 왼쪽으로 몸을 돌려, 현관문의 비밀번호를 차례대로 눌렀다. 고요한 가운데, 현관 잠금장치 풀리는 소리가 울려 퍼진다.

아무도 없는 빈 집에 들어오는 순간이 가장 기운 빠지는 순간이다. 한 짝씩 신발을 현관 바닥에 벗어 내팽개치고는 서둘러 벽을 더듬어 거실의 등을 켠다. 나는 집안의 어둠과 공허함이 나를 누르는 느낌이 싫다.

다시 고개를 돌려 불이 꺼져있는 내 방을 향한다. 가방을 방 입구 바닥에 던지고, 그대로 침대에 쓰러져 이불 위에 얼굴을 묻는다. 숨이 막히고 아무것도 보이지 않는 순간, 오히려 마음이 편해진다.

한 번 숨을 깊이 들이 쉬고는, 가슴 깊은 곳에서부터 뜨거운 한 숨과 함께 비명을 이불 속에 쏟아낸다. 입김 때문인지, 얼굴 주위에서는 따뜻한 기운이 느껴진다.

다시 몸을 돌려 천장을 바라본다. 그리고는 막혀 있던 숨을 들이쉰다. 숨쉬기가 한결 편해진다.

누렇게 변해 버린 천장 위에 여러 가지 상상을 해본다. 행복한, 아니 행복했던 가족의 모습을 떠올려 본다. 천장에 커다란 사진을 그리면서 상상 해보지만, 정확히 얼굴들이 기억나지 않는다. 가장 가까우면서도 먼 이름, 아마 그것은 가족이라는 이름일지도 모른다.

그것은 곧 나와도 같다. 스스로에 대해 잘 알아야 할 내가, 나에 대해 조금도 알지 못하니까.

내가 좋아하는 것도, 진정한 내 자신의 모습도, 내가 원하는 것이 무엇인지 알지 못하는 인생이라는 것은 동물이나 다름없지 않을까. 가끔 담임을 찾아가서 상담을 해보려고 했지만, 담임은 계속해서 대학에 진학만 잘하면, 그때 인생을 결정해도 늦지 않는다고 말했었다. 쓸데없는 생각이나 걱정이 많아지면 학업에 집중을 못하게 만들 뿐이라고 말이다.

'어쩌면 애들한테 이런 이야기를 꺼낸다면, 나를 이상한 아이로 생각하겠지.'

나보다 어려운 상황에 놓인 친구들에게, 이렇게 힘들어하는 나의 모습은 작은 투정으로만 보일지도 모른다. 모두가 자신이 세상에서 가장 힘든 사람이라고 생각하기 때문이다. 사람들은 아무도 서로의 아픔을 진실로 알지 못하고, 아무도 서로의 마음을 진실로 알지 못한다.

돈이 부족하지 않으면 힘들지 않을 것 같고, 공부를 잘하는 사람은 뭐든지 될 것 같은 세상. 허나 웃음이 많은 사람 그리고 겉으로 보기에 부족함이 없는 사람 모두 또한 상처받고 고민하는 세상. 사람들이 당연하다 여기는 것만이 당연하게 여겨지는 세상.

어쩌면 우리들이 자초한 세상이다.

얼마 전, 신문에서 본적이 있다. 그것은 미국 명문대에 진학한 학생들 중, 한국 학생들의 자살 비율이 가장 높다는 것이었다. 한 명, 한 명의 이유를 모두 알 수는 없겠지만, 어느 정도 나는 그 내용에 공감했었다. 무작정 앞만 보며 달려온 인생에서 사람들이 목표 달성 후에 발견하는 것은, 결국 또 다른 고통의 시작일 뿐이니까.

그런데 갑자기 어떤 섬뜩하면서도 동시에 나를 설레게 하는 생각이 머릿속을 스쳐 지나갔다. 여기서 모든 것을 쉽게 끝낼 수 있는 방법이 있지 않을까하는 생각.

두려우면서도 해야만 할 것 같은 느낌, 어쩌면 가끔은 누구나 이것이 최선이 아닐까 생각해볼만한 그런 것 말이다.

심장에서 나온 피들이 혈관을 타고 온 몸으로 퍼지면서 내 가슴과 귀를 두드린다.

전에 엄마가 드시던 것이 머릿속에 떠올랐다. 요즘 유난히 잠이 안와서 드시는 것이 있다고 했었다. 나는 서둘러 침대에서 일어나 안방으로 향했다. 그리고 화장대, 장롱, 침대 옆 여기저기를 뒤적거렸다. 장롱 안에서 옷들 사이로 손끝에 무언가가 닿는다. 다시 손을 넣어 살짝 잡아당기자 소리를 내며 바닥으로 떨어져 구른다.

동시에 뚜껑이 열리며 하얀 통 안에서는 여러 알약들이 쏟아져 나온다. 분명 내 예상이 맞을 것이다.

'수면제.'

허나 막상 찾고 나니 자신이 없어진다. 통을 향해 뻗어가던 손이 멈칫한다. 잠시 그 앞에 앉아 곰곰이 생각해보고, 다시 마음을 가다듬는다. 그리고 한 손으로 약통을 집어 올렸다.

무작정 그것을 들고 내 방으로 향한다. 약통을 책상 오른편에 올려놓고는 의자에 앉아 허겁지겁 서랍에서 종이와 펜을 찾았다.

그리고는 종이 위에 한자 한자 적어 내려간다.

갑자기 그동안 내가 알아왔던 모든 사람들이 떠오른다.

가족, 친구 할 것 없이 모두가.

'학교에서 인사라도 해둘 걸 그랬나?'

쓸데없는 생각이다. 고개를 절레절레 저었다.

다시 글을 이어나간다. 한줄, 한줄 정성스레 적는다.

펜을 내려놓고, 종이를 들어 모든 글을 다시 살펴본다. 틀린 부분이나 부족한 부분을 찾는다.

다시 한 번 책상 위에 하얀 통을 바라본다.

'먹다가 목에라도 걸리면? 먹다가 실패해서 병원에라도 가야하면?'

이건 아니라는 생각에 마음을 접고, 다시 안방 장롱으로 향한다.

엄마가 퇴근하기 전에 모든 것을 끝내고 싶다. 적어도 이런 모습을 들키기라도 하면 곤란하니까 말이다.

장롱을 열어 다시 제자리에 약통을 집어 놓고는 고민해본다. 조금 더 쉬운 방법이 없는지 말이다.

장롱 문 옆에 대롱대롱 매달린 벨트를 멍하니 보다보니 무언가 번뜩인다.

'끈?'

아니다. 얼마나 끔찍할지 상상이 가질 않는다. 무섭기까지 하다.

조금 더 간단한 방법이 있을 거라 생각한다.

그러다 무언가 떠올라 다시 거실로 나온다. 그리고는 거실에 있는 등 스위치로 다가가 불을 끈다. 내 방에서 새어 나오는 불빛만이 보일 뿐, 집안의 모든 불은 꺼져있다.

곧 현관에 흩어져 있는 신발을 찾아 한 짝씩 신기 시작했다. 작년 이 맘 때쯤 집에 돌아오는 길에 우연히 발견한 갈색 구두.

너무 마음에는 들었지만 바로 결정을 못하고 뚫어져라 신발을 쳐다보기만 하던 나를, 결국 엄마가 가게 안으로 데려가 신겨보았던 구두다. 바닥이 낮아 편하고, 은은한 색상이 너무 마음에 들어 그 자리에서 바로 사기로 결정했었다. 그 후로 몇 달 간은 혹시 진흙이라도 튈까봐 비오는 날은 절대 신지 않았던 기억이 난다.

신발을 다 신고는 잠시 그대로 멍하니 현관에 앉아 있었다. 잠시 그 때 생각에 잠겨 있었던 것 같다.

벽을 집고 일어나 심호흡을 한 번한다. 현관에 있는 거울을 바라본다. 마지막으로 보는 거울일지도 모른다. 비장한 표정을 지어본다. 그리고 천천히 현관문을 열었다.

-PM 07:52-

밖으로 나오니 가을이라 그런지, 아니면 일교차 때문인지, 순간 몸에 사늘한 한기가 느껴졌다. 조금 걱정돼서 가디건이라도 걸치고 나올 걸 하고 생각하다, 난 이런 상황에 그런 생각이 든다는 게 어이가 없어 피식 웃어넘긴다.

복도로 나와 계단을 오르기 시작한다. 허나 밤이라 계단과 복도가 어둡다는 것을 깜빡 잊었다. 몇 계단 오르다 천장의 등이 고장 났는지 더 이상 불이 들어오지 않자, 무서운 마음에 다시 엘리베이터를 이용하기로 한다.

계단을 내려와, 위로 올라가는 버튼을 눌렀다.

1층, 2층….

1층에 서있던 엘리베이터가 서서히 내가 있는 곳을 향해 올라오기 시작했다.

잠시 후 엘리베이터의 문이 열린다. 그 안으로 조심스레 발을 내밀어, 마지막 길을 향하는 상자에 몸을 싣는다.

20층에 다다르는 시간이 이렇기 긴지 몰랐었다. 이 아파트에 이사 온 뒤로는 단 한 번도 다른 층에 가본 적이 없기 때문이다.

18층, 19층 그리고 20층.

문이 열리자 앞에 보이는 계단을 따라 올라간다.

다행히 복도 천장에 있는 등이 환하게 켜진다. 계단 중간쯤 에는 빨간 자전거가 하나 보인다. 아마 20층에 사는 아이의 것인 것 같다. 작고 예쁘다. 물론 지금 그것이 중요한 것이 아니다.

서둘러 계단을 더 올라가 어둠 속에 흐릿하게 보이는 옥상 문을 열기로 한다.

'터 벅, 터 벅, 터 벅.'

계단을 한 계단씩 천천히 오른다. 한 계단씩 오를 때마다 그 소리가 크게 울려 퍼진다. 그 소리에 누군가 눈치라도 챌까봐 발걸음이 조심스러워진다.

'드르륵. 끼 익.'

오랫동안 쓰지 않아, 약간 녹이 슨 것 같은 철문을 두 손으로 힘겹게 열어젖혔다.

그러자 그곳에는 어둠 사이로 커다란 가을의 달빛만이 세상을 환하게 밝히고 있었다. 마치를 나를 기다린 것처럼.

-PM 08:06-

난간 앞에 선다. 나는 바로 앞에 있는 크고 밝은 보름달을 마주한다. 태어나 처음 인 것 같다. 이렇게 가까이서 달을 본 것도 말이다.

어릴 때 밝은 달이 뜨는 밤이면, 가끔 폭죽 같은 것을 사서 오빠와 함께 동네 골목에서 놀다가 주민들에게 시끄럽다며, 혼쭐이 났었다. 물론 요즘은 그런 사람들이 많이 없지만 말이다.

그럴 때면 아빠가 우리에게 큰 자를 들고 오라고 했었다. 내가 무서워 가만히 서있으면, 오빠가 대신 그것을 들고 와 자신의 손바닥을 먼저 내밀었었다. 아빠는 먼저 있는 힘껏 오빠의 손바닥을 여러 번 내려쳤고, 내 차례가 오면 조금은 약하게 때렸던 기억이 난다. 그래도 행여나 내가 울면서 손을 치우기라도하면 다시 내 손을 끌어다 더욱 강하게 때렸다.

그럴 때마다 오빠는 다시 자신의 손을 내밀고는, 자기가 먼저 나가서 놀자고 했다며, 나를 뒤로 밀어냈던 것이 떠오른다. 오빠는 그렇게 매번 아빠에게 동생은 아무 잘못도 없었다고 말했었다.

이제야 오빠의 얼굴이 추억 사이로 조금 떠오른다. 그리고 아빠의 얼굴도 말이다.

그리울 것이다. 내가 알던 모든 얼굴들이 말이다.

손을 뻗어 주머니에서 핸드폰을 꺼낸다. 내가 없어지는 순간 마지막으로 갖게 될 물건이 이것이었다니, 묘한 기분이 든다.

환하게 켜진 화면 위로 천천히 버튼을 눌러가며 전화번호를 찾아낸다.

전화를 걸자, 신호가 4번 정도 울렸다. 그리고 곧 받는 소리가 들렸다.

"네. 여보세요?"

정말 오랜만에 듣는 목소리다. 오랫동안 잊고 있었던 굵은 목소리.

"어. 나 유진이…."

"아, 그래. 유진이 용돈 필요해서 전화했니?"

언제나 돈을 주면 끝날 것이라고 생각하는 그런 사람.

"아니, 그냥 해봤어."

"그래. 밥은 잘 먹고 다니고?"

"어. 항상 그렇지 뭐."

아빠의 목소리, 듣는 순간 눈물이 쏟아질 듯하다. 왼손으로 살며시 입을 틀어막는다.

허나 전화기 너머로 들려오는 여자의 목소리. 장미의 가시 같고, 차가운 그 여자의 목소리.

아빠를 마지막으로 봤을 때가 언제였을까. 그래도 지금보다 어린 시절에는 그 누구보다 보고 싶은 사람이었는데.

"유진아. 무슨 일 있는 건 아니지? 지금 아빠가 전화가 곤란하거든? 그러니까 나중에 시간 있을 때 또 전화하자? 그럼 끊어."

핸드폰 안에서는 잠시 침묵이 계속 되었다.

어디선가 들은 말 같은데, 누군가 죽더라도 세상은 그대로 돌아간다고 했다. 내가 이 세상에서 사라지는 순간에도, 달라지는 것은 아무것도 없다.

저 난간 너머로 많은 차들과 사람들이 움직인다. 소방차와 앰뷸런스가 번쩍거리는 불빛과 함께 굉음을 내며 정신없이 도로를 가로지르는 것도 보인다. 저 멀리 어딘 가에서는 뿌연 연기가 하늘로 피어오르고 있었다.

'불인가 보네.'

하고 난 속으로 중얼거렸다.

내가 없어지는 이 밤에도, 어차피 세상은 그저 바쁘게 돌아갈 뿐이다.

두 손바닥으로 난간을 한 번 쓸어내고는 양손을 올려 단단히 집는다. 한 쪽 발을 올린다. 그리고는 나머지 한 발도 천천히 땅에서 뗀다. 이제 마음의 준비를 한다. 아래를 내려다보며, 천천히 눈을 감는다. 얼굴을 스치는 바람이 느껴진다. 귀와 심장에서는 북소리가 들려온다. 다리에 힘이 풀릴 것 같은 불안감이 몰려온다.

다시 눈을 뜨고는 허겁지겁 난간에서 내려온다. 몸을 난간에 바짝 기댄 체로, 손바닥으로 양쪽 난간을 단단히 부여잡고는 얼굴만 빠끔히 내밀어 아래를 내려다본다.

'그, 그래. 할 수 있어.'

마음을 가다듬고는 다시 한 발을 난간 위에 얹는다. 허나 나머지 한 발은 바닥에서 잘 떨어지질 않는다. 그러나 곧, 아주 조심스레 나머지 한 발도 바닥에서 떼어낸다.

-PM 08:15-

'덥석!'

나머지 한 발을 들어 올리려는 순간, 갑자기 무엇인가 내 발목을 잡는 것이 느껴졌다.

"꺅!"

온몸에 소름이 돋았다. 너무 놀라 비명을 토해냈다.

곧바로 정신을 차려보니, 허공에 떠 있듯이 내 몸이 앞으로 고꾸라져 있었다. 순간, 옥상의 차가운 공기가 온 몸을 스친다. 몸을 난간에 간신히 붙이고 두 손을 짚고 서늘해진 심장을 달래려 애를 썼다. 하지만 여전히 터질 것 같이 요동친다. 다행히 몸과 손이 난간에 붙어 있다.

분명 바닥에서 발을 떼는 순간, 무엇인가 나의 발을 잡았다. 여전히 내 발목에는 거친 감촉이 남아있다.

"누, 누, 누구, 뭐, 뭐…."

너무 놀라 말이 제대로 나오지도 않는다. 온 힘을 다해, 나는 난간에 몸을 바짝 붙이고, 조심스레 고개를 돌렸다.

시선이 내 발을 잡고 있는 손을 따라간다. 어둠 속에서 흐릿하게 보이는 허름한 옷 그리고 새카만 얼굴. 그리고 코를 찌르는 쾌쾌한 냄새.

"꺅!"

다시 한 번 너무 놀라 비명을 질렀다. 그리고 공포에 질려 그대로 몸이 굳어버렸다.

"어이, 학생. 여기서 뭐 하는 거지?"

어둠 속에서 낯선 사람이 처음으로 입을 열었다.

'잠시만, 여기에 사람이 왜 있는 거지?'

나는 그 짧은 순간 그렇게 생각했다. 다행이었다. 귀신이 아니라, 사람임에는 틀림없는 듯했으니까 말이다. 하지만 대답할 말이 생각나지 않아, 계속 침묵을 지켰다. 나는 당황한 채로 멍하니 옥상 난간 너머로 아득하게 보이는 저 지표면과 내 뒤에 서 있는 남자를 번갈아가며 바라보았다. 한기가 느껴져 몸이 조금 씩 떨려왔다.

"죽으러 왔나보군."

"뭐, 뭐라고요?"

나는 정곡을 찔려 잠시 허둥대며 말을 돌리려고 했다. 하지만 역시 변명할 궁리가 생각나지 않아, 그저 인상을 찌푸리고 고개를 절레절레 젓고는 바닥만 쳐다보았다. 그러자 앞에 서 있는 남자가 잠시 조용히 생각하는 듯하더니, 다시 말을 이어나갔다.

"그렇다면 미안해. 하던 것이나 마저 하게 두는 게 낫겠어."

그렇게 퉁명스럽게 말하더니, 그가 내 발목에서 손을 떼었다. 나도 조심스레 몸을 돌린 후에 난간에 몸을 바짝 붙여 내려온다. 다리가 바닥에 닿자 그대로 힘이 풀려, 풀썩하고 바닥에 앉아 버린다. 순간 다리와 엉덩이에 바닥의 찬 기운이 바로 전해진다.

"나도 하필 오늘 이리로 올라왔지만, 만약에 둘이 같이 떨어지기라도 한다면 동반 자살로 내일 기사가 나갈지도 모르겠어. 그건 왠지 모르게 꺼림직 해서 말이야. 아무래도 나는 차례를 기다리거나, 아니면 다른 장소로 가야겠어."

대충 이야기를 들어보니, 이 사람이 나를 살리려고 온 것은 아닌 듯하다. 아마 이기적인 사람 정도였나 보다. 잠시 아무 말도 하지 않고 있다가 긴장이 조금은 풀렸는지 크게 한 숨을 한 번 내쉬었다. 뭐 이런 이상한 사람이 다 있나 싶기도 하다.

"학생이 안하면 내가 먼저 해도 되나?"

"네? 당연히 안 되죠! 어딜 뛰어내시려고 하세요!?"

내가 그렇게 말하자 그가 난간에 두 손을 집고, 다음 한 쪽 다리를 올려놓으려 한다. 나는 가만히 바닥에 주저앉아 잠시 이 사람이 하는 행동을 지켜보다, 그만 깜짝 놀라 벌떡 일어난다. 그리고 하는 수 없이 이 이상한 남자에게 달려가, 뛰어내리려고 하는 그의 냄새나는 바지를 부여잡고는 그대로 힘껏 바닥에 주저앉는다. 잠시 둘 간의 실랑이가 벌어진다.

"아, 아저씨. 진짜 왜 이래요."

"콜록, 콜록. 아, 정말 학생 오늘 이래저래 방해하는군."

"아, 아저씨, 제, 제가 뭘."

서로 잠시 힘겨루기를 하다가, 둘 다 지쳐 숨을 가다듬는다. 내가 먼저 손을 떼고 너무 힘이 들어 바닥에 엎드려 숨을 헐떡였다. 앞에 있는 이 이상한 사람도 크게 한 번 숨을 가다듬는데, 술 냄새가 심하게 풍겨왔다. 바닥에 굴러다니는 술 병 몇 개가 그동안 여기 일어난 사정을 이야기 해주는 듯했다. 아마 나보다 이곳에 먼저 올라와 시간을 보내고 있었던 듯 했다.

"학, 학생. 우리 그냥 잠시 휴전하세."

그는 기침을 몇 번 하다가, 자신의 갈색 외투 주머니에서 구겨지고 색이 검게 바란 손수건을 꺼냈다. 그리고 그것으로 입을 막고 기침을 몇 번 하고는 다시 그 손수건을 주머니에 구겨 넣었다.

한 몇 분 동안, 옥상에는 아무 소리도 들리지 않았다. 그 사이에 나는 난간 벽에 등을 기대고 바닥에 주저앉은 채로 숨을 가다듬었다. 나는 곧 눈을 감았고, 그 옆에서는 그가 난간 위에 앉아 하늘을 보고 있는 듯했다.

"우리 마지막 인생을 결심한 사람들 끼리, 마지막으로 이야기나 하지. 잠깐만, 이리 와서 걸터 앉아봐."

침묵을 먼저 깬 것은 그 사람이었다. 나는 듣지 못한 척 하려다가 그가 다시 난간에 기대는 소리가 들려 눈을 뜨고 그 사람을 향해 고개를 돌렸다.

"네? 거기 난간이잖아요. 또 혼자 뛰어내리게요?"

내가 의심의 눈초리를 보내자, 그가 기가 막힌다는 표정으로 나를 바라보았다.

"하, 거참, 서로 각자 뛰어내려 죽으려고 하던 사이에 속일 일이 뭐가 있다고."

그가 갑자기 버럭 하며 화내듯 말하는 바람에, 나도 모르게 몸을 움츠렸다.

"싫어요. 왠지 수상해요."

"아, 거참. 고집 한 번 세군."

그가 그렇게 말하고 혀를 끌끌 차더니, 주머니에 들어있던 빨간 플라스틱 라이터를 꺼내들었다. 그리고 라이터를 켜 피어오른 불을 가만히 보더니, 다시 불을 끄고 주머니에 집에 넣었다.

"저 원래 고집 세요."

"학생, 그러지 말고 오늘 여기서 하는 이야기는 죽는 사람끼리의 마지막 유언 정도라고 생각하는 게 어떤가?"

5분 정도 지났을까, 나는 계속해서 멀뚱멀뚱 바닥에 앉아 있었다. 그리고 이 이상한 사람도 묵묵히 난간에 앉아 있었다. 그 모습을 보고 있자니, 이상하게도 마음이 편해지는 듯 했다.

나는 다시 몸을 일으켰다. 천천히 조심스레 난간을 잡고 한 발, 한 발 내밀어 난간에 올라가 앉았다.

평소에 이렇게 낯선 사람과 이렇게 마주앉아 이야기 해본 적은 없다. 아니, 그 누군들 있을까? 왠지 웃음이 나온다. 그저 이 상황이 말이다.

천천히 이 낯선 사람을 다시 한 번 보았다. 위에 걸친 옷은 전부 낡았고, 바지 또한 여기저기 해져서 오랫동안 바깥 생활을 해온 흔적이 역력했다.

'아까 내가 길거리에서 본 사람과 같은 사람이려나?'
얼굴이나 옷차림이 잘 기억이 나지 않아, 그냥 생각하지 않기로 한다. 어차피 오늘이 나의 마지막 날이 될 거니까.

"이제 좀 진정이 됐어?"

옆에서는 강한 악취가 바람을 타고 날아와 내 코를 찔렀다. 자리를 피할까 하다가, 왜인지 그 자리를 떠나기가 어려워 그저 말없이 난간에 기대어 한참을 서있었던 것 같다.

행여나 내 옆에 이 낯선 사람이 무슨 꿍꿍이가 있는 것은 아닐까 싶어 한 순간도 경계를 놓지 않고 말이다.

"아저씨야 말로요. 더 이상 갑자기 엉뚱하게 뛰어내리려고 하지 마세요."

"학생이 그런 말하는 건 좀 아니지 않아?"

나도 할 말이 없어, 고개를 숙인다. 아래를 내려다보니 덜컥 겁이 나서, 다시 고개를 들어 위에 있는 달을 올려본다.

"뭐, 암튼 진정 됐어요."

"그래. 그럼 학생부터 얘기해봐."

"저요? 글쎄요. 갑자기 그러면 무슨 말을 해야 할지 모르겠는데요?"

"그냥, 왜 이곳에 왔는지, 학교는 어딘지, 가족은 있는지 그런 것들 말이야."

"서로 조금 있다가 죽는 마당에 그런 게 다 무슨 소용이 있겠어요."

내가 콧방귀를 뀌자, 이 사람 또한 피식 웃는다.

"혹시 모르지. 우리가 떨어졌을 때, 만약 둘 중 하나가 죽지 않고 깨어난다면, 그 사람이 119에 신고라도 해야 할지도 모르고, 마지막 가는 길을 위해 신원확인 정도는 해줄 수 있지 않을까 해서 말이지."

"아저씨는 제가 만난 사람들 중에 가장 괴짜인 것 같아요. 도대체 여기서 살아날 확률이 얼마나 되겠어요?"

"거참, 그저 세상일은 모르는 거니까. 그저 일단 얘기나 해보자는 거지."

나는 주변을 둘러보다가 저 멀리 보이는 학교를 손가락으로 가리켰다.

"음, 저는 뭐, 일단 저 멀리 길 건너에 있는 고등학교에 다녀요. 여기서는 어두워서 잘 보이지도 않네요."

은은한 가로등으로 간신히 보이긴 하지만, 불이 꺼진 학교를 찾기가 어렵다. 어림짐작으로 판단 할 뿐이다.

"그럼 가족은?"

"엄마가 있는데, 매일 직장에서 늦게까지 일하시느라 바빠요. 회식도 가끔 있으시고⋯. 거기에 쉬는 날도 별로 없으시죠."

내 생일에도, 내가 고등학교에 입학 했을 때도, 회사 일에 정신이 없었다.

물론 엄마가 가장 나에게 관심 있을 때는, 시험 기간이나 성적표가 나오는 순간이었다. 가끔 학원이 어떠냐는 질문을 많이 하긴 했었다. 마음에 안 들면 옮겨준다고 말이다.

허나 막상 그만두고 싶다고 말하면, 무서운 표정으로 나를 쳐다보았었다.

"그럼, 어머니는 지금도 안 들어 오셨겠군."

"모르죠. 핸드폰도 잠잠한데요?"

배터리도 두 칸 남은 핸드폰. 어쩌면 내가 이 세상에서 사라지기 전에 누군가 잡아주길 바래서, 나는 이 핸드폰을 마지막으로 가져온 것일까. 허나 그 누구에게도 연락은 없다. 어쩌면 전원이 나가는 그 순간까지도 그럴 것이다.

"음, 그렇단 말이지? 그럼 어머니가 전부인가?"

"아니요. 근데⋯."

"근데? 뭐, 말하기 힘든 사정이 있나보지?"

내가 말을 잇지 못하자, 그가 되묻는다.

"네. 조금."

내가 힘없이 고개를 숙이자, 그가 무언가 눈치를 챘는지, 고개를 돌려 말없이 하늘만 보고 있다.

아빠. 그리고 오빠. 더 이상 볼 수 없는 얼굴들. 처음 보는 이상한 사람 앞에서 그 모든 이야기를 꺼내고 싶지는 않았다.

"음, 나에게도 어머니가 있었지."

묵묵히 하늘을 보던 그가 입을 열었다.

"어머니요?"

"그래. 어머니. 아마, 내가 중학생일 때였지. 마지막으로 어머니와 얘기했던 것이. 콜록."

"꽤 오랜 시간 사이가 안 좋았나 봐요?"

"오히려 그랬으면 좋겠어. 콜록."

"아저씨, 괜찮아요?"

"응. 원래 좀 기침이 많아. 오늘 따라 좀 춥기도 하고 말이야."

잠시 정적이 흐른다. 그리고 그의 얼굴이 갑자기 진지해진다. 무겁고, 차가운 공기를 감돌게 하는 표정.

"급성 폐렴이셨어."

나는 조금 놀란 표정을 지었다.

"어머니가 갑자기 돌아가신 이유가 말이야."

갑자기 할 말을 잃는다. 그런 것도 모르고 사이가 안 좋았냐는 식의 말을 던졌으니 말이다.

"이런. 많이 놀랐나보군. 걱정하지 마. 이미 시간이 지날 대로 지났으니까 말이야."

"네. 그래도 죄송합니다."

갑자기 공손해지는 나의 태도가 웃겨 보였는지 옆에서 큰 웃음을 터뜨린다.

"아, 갑자기 웃어서, 배가 아프구먼. 갑자기 학생이 너무 착하게 나오니까 적응이 안 되서 그랬어."

그가 너무 웃었는지, 눈가에 살짝 맺힌 눈물을 닦는다. 허나 나는 그 눈물이 왠지 웃음 끝에 오는 눈물이 아님을 알 것만 같다. 그가 웃음을 멈춘다. 그리고 가슴을 크게 벌려 심호흡을 한다.

"갑자기 기침이 심해지시는 바람에 병원으로 달려갔었지. 어머니는 아버지 등에 업혀서도 계속 기침을 토해내셨어."

그리고 그는 주섬주섬 오른 쪽 주머니에서 무언가를 찾는다. 오른 손이 주머니 안에서 꿈틀거리는 것이 보인다. 주머니에서 손을 꺼내자, 그 안에는 시커멓게 때가 묻은 구겨진 담배 뭉치가 들어있었다.

조심스레 뭉치를 들어, 입으로 담배 하나 물어 밖으로 집어낸다. 라이터에서 나오는 번쩍하는 불꽃이 그의 담배를 조금 씩 불태운다. 몽글 몽글 연기가 흘러나와 이리저리 퍼진다. 그가 숨을 한 번 내쉬자, 연기 사이사이로 달빛이 연하게 비친다.

"어머니는 며칠이 지나도 호전이 없었어. 그런데 마지막으로 병원에서 내 손을 잡으며, 고작 한다는 말이 뭐였는지 아나? 학생?"

"글쎄요."

그가 잠시 골똘히 생각에 잠기는 듯하더니, 다시 피식하고 웃는다.

"밥은 챙겨 먹었냐하더군. 고작 한다는 말이, '밥은 챙겨 먹었냐.' 라니, 나는 아직도 그 순간을 잊지 못하지."

"그리고는요?"

"그리고는 돌아가셨어. 전부 겨워내느라, 정작, 본인은 끼니도 제대로 못 먹고는 말이야."

그가 한 번도 담배를 입에 물어 숨을 들이쉰다. 그리고는 다시 폐에 가득 찬 연기를 내뿜는다.

"힘들었겠어요."

"그치. 힘들었지. 아주 많이 말이야. 솔직히 거짓말은 못하겠어."

그렇게 말하며, 그가 고개를 절레절레 흔든다. 머릿속에 있는 생각을 떨치고 싶은 듯한 모양새였다.

"그리고 웬만하면 말이야. 학생."

"네."

"아주 힘든 부탁인건 알지만, 그저 어머니가 살아계신 걸 감사하게 생각해."

엄마가 이 세상에 없다는 생각은 단 한 번도 해본 적이 없다. 그냥 나도, 엄마도 이대로 영원할 것 같다는 막연한 느낌으로 하루하루를 지내왔다.

영원히 나는 어린 아이로, 엄마는 그 모습 그대로. 허나 어차피 오늘은 내가 사라지기로 결심한 날이다. 다른 것은 크게 중요하지 않다.

갑자기 손끝에 진동이 느껴진다. 다시 보니 옆에 내려놓았던 핸드폰이 밝은 빛을 내며 날씨가 춥다며 몸을 부르르 떨어댄다. 왠지 엄마가 아닐까 생각해본다.

"안 받고 뭐해?"

손을 뻗어, 뒤집어진 채로 얼굴을 바닥에 대고 있는 핸드폰을 들어 올렸다.

'연희.'

9시면 아직 학원에 있을 텐데 이 시간엔 어쩐 일일까. 가장 친한 친구 중 한 명이었지만, 서로 다른 학원에 다닌 이후로는 서로 정신이 없어 멀어진 느낌이다. 자연스럽게 학교 밖에서는 대화를 잘 안 하게 되었다. 어릴 적에는 그래도 서로 집에도 자주 놀러가고 그랬었는데 말이다. 입시 준비 때문이었을까. 우리 사이의 대화는 학교에서 가끔 하는 공부에 대한 이야기가 전부였다.

그런데 평소에는 연락도 잘 안하다가, 왜 하필 이런 날 갑자기 전화를 한 것일까.

"친구인가?"

"아, 네."

그가 난간 위에, 담배꽁초를 이리저리 비벼댔다. 그러자 빨간 빛이 힘없이 사라졌다.

내 손 위에서 빛을 내며 요동치던 핸드폰이 끝내 잠잠해진다. 그저 화면 위에는 부재중 통화라는 말만 남아있었다. 그리고 그 화면마저 꺼진다.

핸드폰을 다시 살며시 내려놓고 저 멀리 들려오는 사이렌 소리로 시선을 가져간다. 저 멀리, 연기가 가득하던 건물에서도, 차츰차츰 그 빛이 약해져갔다. 마치, 빛을 다한 그의 담배꽁초처럼.

2. 연희의 첫 번째 우연
-PM 09:05-

"9시 인데, 벌써 잘 리도 없고."

오늘 따라 학교에서 유진이의 기분이 별로였던 것 같았다. 그냥 몇 마디 가볍게 나누기만하고, 제대로 이야기를 하지 못한 것 같아 하루 종일 마음에 걸렸다.

30분 전쯤 이였나, 은혜한테 문자가 왔었다. 오늘도 유진이가 학원에 안 나왔다는 내용이었다. 예전에 유진이랑 남자 문제로 크게 싸우고는 한 번도 관심도 안 갖던 애가 오늘은 웬일로 걱정을 다 하는지 모르겠다.

하긴, 오랫동안 얘네 둘 사이에서 중재 역할을 하던 나도 피곤하긴 했다. 이 기회에 둘이 화해라도 했으면 좋겠다. 나의 그런 마음을 아는지 모르는지, 유진이는 여전히 전화를 도통 받지 않는다.

짧게 문자라도 남겨둘까 생각하다가, 일단은 잠깐 야식을 먹으러 가기로 한다. 다음 시간에 들어올 과학 선생님이 요기를 하느라 30분쯤 늦을 테니, 먼저 애들보고 자습을 하고 있으라고 했기 때문이다. 평소에는 시간이 칼이니 어쩌고 떠들더니, 오늘은 자기도 배가 고프긴 고픈가보다.

나도 점점 배가고파진다. 옆자리를 보니 열심히 노트를 뚫어져라 바라보는 녀석이 있었다. 나는 오른 손으로 뒤통수를 한 대 후려친다.

"야, 같이 나가자. 나 뭐 좀 먹고 올래."

"아! 야, 아프다고, 놀랬잖아. 여자가 뭐 그리 힘이 세냐?"

"남자 자식이, 뭐 그런 걸로 아프데."

정말로 아팠는지, 손바닥으로 머리를 비벼대는 민기.

이 녀석이 이성 친구로는 느껴지지 않는 터라 가끔 내가 좀 터프하게 굴 때가 있다. 그래서인지 조금은 미안한 마음이 든다.

"내가 떡볶이라도 사줄게. 나가자? 응?"

"정말 아직도 아프다, 야. 그건 그렇고 선생님 일찍 들어오시면 어쩔 건데?"

"그냥 가자. 제발, 한 번만. 응?"

답답한 마음에 그냥 무턱대고 일어나 옷깃을 잡아끌고 나간다. 우리가 너무 시끄러웠는지, 나름 열심히 공부하던 몇몇 녀석들이 우리에게 따끔한 시선을 날린다. 나는 어색한 미소와 함께, 두 손을 모아 미안함을 표시하고는 더욱 서둘러 교실 밖으로 나선다.

"야, 이것 좀 놔봐. 내가 알아서 갈 테니, 정중히 좀 모셔주세요."

교실 밖으로 나오자마자, 민기가 옷매무새를 다듬으며 고개를 절레절레 저었다. 그리고 어이없다는 듯, 한숨을 푹 내쉬었다.

건물 밖으로 나온다. 분명 밝을 때 학원에 왔는데, 어느새 어둠이 짙게 내리 깔린 하늘 밑으로, 라이트를 번쩍이며 바쁘게 지나다니는 차들이 보인다.

우리가 자주 가는 분식집은 길 건너에 있었다. 이 근처가 학원가라 그런지, 그 가게에는 항상 아이들이 북새통이라 지금은 그저 손님이 적기를 바랄 뿐이다. 안 좋은 타이밍에 가면, 포기하고 돌아와야 하는 것이 다반사였다.

우리는 천천히 횡단보도 다가갔다. 그리고는 그 앞에 나란히 서서 신호등을 기다린다. 민기는 옆에서 길 건너를 바라보고 있다. 나는 잠시 핸드폰을 꺼내 혹시나 유진이에게 전화가 온 것은 없는지 확인한다.

"오늘 수학 수업 어땠어?"

갑자기 민기가 옆에서 질문을 건넸다.

"응? 아, 뭐 항상 똑같지. 중간부터는 조금 졸았던 것 같아."

나는 학교에서나 학원에서나 자느라 정신이 없는 것 같

다. 조금 졸다보면 어느새 수업이 반 이상 지나가있으니 말이다.

여자 애가 맨 날 공부는 안하고 엎드려 잔다고 어른들에게 가끔 구박을 받지만, 어쩔 수가 없다. 그냥 원래 내가 이런 걸 어떻게 할 순 없는 것이다.

"나는 가끔 데자뷰 같은 게 느껴져."

"데자뷰? 수업 중에?"

내가 무슨 소리인지 이해가 안 되어, 민기에게 되물었다.

"응. 뭐 진짜로 그렇다기보다는 말이 그렇다는 거지."

"어째서?"

"네 말대로 항상 똑같으니까. 공부라는 게 어차피 복습이 반드시 필요한 거라면, 학교에서 한 번 듣고, 집에 가서 한 번 복습하면 되잖아. 근데 매일 학교에서 들은 걸, 학원에서 복습해주고, 정작 나는 공부하고 있다는 느낌이 들지를 않아. 그저 계속 반복 되는 느낌일 뿐이야."

"나는 뭐, 복습도 그렇고 수업도 그렇고 매일 자느라 잘 모르겠지만, 무슨 말인지는 어느 정도 이해가 된다."

그렇게 토론을 이어가던 사이, 우리는 어느새 길을 건너 분식집 앞에 도착해 있었다. 다행히 학원가의 아이들이 대부분 수업 중인지, 안은 생각보다 한산했다. 주인아주머니는 떡볶이 위에 고추장과 하얀 물통에 담긴 물을 부으며, 이리 저리 주걱으로 양념을 휘젓고 있었다. 그리고 몇 명의 손님 들이 접시를 사이에 두고 테이블에 앉아, 한 쪽 구석 천장 에 놓인 TV를 보고 있었다.

"들어갈까? 아님 서서 먹을래?"

민기가 내 어깨를 툭툭 치며 물어봤다.

나는 곧바로 손으로 안을 가리키며 들어가자는 표시를 한 다. 나는 가장 구석진 곳에 자리를 잡았다. 민기는 밖에 서 서 주문을 하고 있었다. 나는 손을 들어 민기에게 알아서 주문 해달라고 손짓했다.

민기와는 중학교 시절부터 알던 사이다. 은혜도 그렇고, 유진이도 마찬가지다. 오래 전, 민기와 준호는 단짝이었고, 은혜, 유진이 그리고 나 이렇게 3명이 단짝이었다.

우리 5명은 우연히 같은 반이 되었는데, 금세 친해지게 되었다. 그런데 준호가 유진 이에게 고백을 하면서, 일이 조금 씩 틀어지게 되었다. 몰래 준호를 짝사랑 중이었던 은 혜가 더 이상 우리와 어울리길 거부하기 시작했다.

나와 민기, 은혜 그리고 유진이와 준호. 이렇게 두 부류 로 갈리면서, 나는 오랜 시간 중간에 끼인 사이가 되어버렸 다. 그런 와중에, 가장 이해가 안 가던 녀석이 바로 민기였다. 준호와 그렇게 친하게 지내던 녀석이 더 이상 어울리지 않고, 계속 우리랑 어울리는지 알 수가 없었다.

물론, 나중에야 안 사실이지만, 민기 또한 유진이를 마음에 두고 있었다고 했다. 차마 준호에게는 말하지 못했지만, 자연스레 말을 섞기가 힘들어졌다고 했다. 둘이 같이 있는 모습을 볼 때마다, 친구에게 죄책감을 느낀다는 민기였다.

은혜는 그런 민기에게 용기가 없다고 했지만, 나에게는 그런 녀석의 따뜻함이 좋은 친구가 될 수 있다는 믿음을 주었다.

"무슨 생각을 그렇게 진지하게 하냐?"

"난 진지하면 안 돼? 진짜 웃긴다, 너."

어느새 내 앞에 주문한 분식이 접시 위에 가지런히 담겨져 있었다. 민기가 포크 그리고 휴지를 내 앞에 조심스레 내려놓는다. 그리고 생각은 그만하고 앞에 있는 거나 먹으라고 말한다.

"그건 그렇고, 너 아까 학원 수학 수업은 왜 물어 본거야?"

갑자기 민기가 말한 것이 떠올라 내가 물었다. 민기는 마시던 물을 테이블에 내려놓고 대답한다.

"언제부턴가, 이대로는 더 이상 성적이 오르기가 힘들 거라는 생각이 들었어.”

“무슨 소리야?”

내 질문에, 민기가 잠시 머리를 긁적거렸다. 그리고는 다시 입을 열었다.

“우리에게는 앞으로 대학에 가기까지 1년 정도의 시간이 남았어. 지금까지는 매일 학원에서 보내는 시간이 하루의 대부분이었고 말이야.”

“그렇지. 보통 다들 그렇잖아?”

“그래. 그런데 너도 알다시피, 복습은 필수잖아?”

“응. 그렇지. 물론 나는 잘 안하지만, 아무튼, 그래서 학원에서 자습시간도 주잖아.”

“그게 문제야.”

“왜?”

“어차피, 매일 밤늦게까지 수업 듣다가, 도서관에서 복습하면 시간 내내 조는 애들이 태반이잖아. 나는 그냥 학교에서 수업 듣고, 저녁에 좀 자고 일어나서 복습 한 번 하는 게 더 좋다고 봐.”

“그럼 학원은? 그만두면 불안하지는 않을까?”

모두가 무언가를 할 때, 만약 나 혼자 그것을 원하지 않는 다는 이유로 다른 행동을 하게 된다면, 사람들은 보통 불안함을 느낀다. 사회로부터 그렇게 배워왔고, 사람들에게 항상 그렇다고 들었기 때문이다. 그렇기에 사람들은 불안함을 본능적으로 피하곤 한다.

"지금은 그만두면 닥칠 변화가 약간 불안하긴 한데, 지금 껏 나는 항상 스스로에게 맞춘 것이 아니라 누군가에 의해 만들어져가는 느낌이었어. 어쩌면 사람들 눈에는 그냥 공부하기 싫은 애로 보일지도 모르겠지만, 나는 나름 꽤 오랜 시간 고민한 거야."

직접 말하지 않아도 나는 직감적으로 민기가 곧 학원을 그만둘 거라는 이야기임을 알아차렸다. 마음 한 편으로는 우리가 앞으로 자주 못 볼 거라는 허전함이, 그리고 다른 한 편에서는 나는 왜 저렇게 과감한 결정이나 고민을 하지 않고 지냈는가 하는 생각이 들어 씁쓸해졌다.

'매일 잠이나 자고 공부와는 담이나 쌓고 지낸 나는 무엇을 위해 여기 있는 걸까?'

"뭐, 몇 일안에 그렇게 될 것 같기는 한데, 아직 다른 사람들한테는 말하지 말아줘."

"응. 그래."

잠시 내가 멍해진 틈을 타, 포크로 쥐고 있던 어묵 하나가 테이블로 떨어졌다. 순간 놀라, 허겁지겁 휴지를 뽑아낸다. 민기도 옷에 묻지 않도록 거든다.

"오늘 저녁 경기도에 사는 16살 김 모 군이 자신의 집에 불을 지른 뒤, 여자 친구와 함께, 여자 친구의 집이 비어있는 시간을 이용해 대량의 수면제를 복용하고…."

갑자기 주위가 쥐죽은 듯 조용해진다. 그 사이를 가르고 들려오는 소리에 우리 둘은 하던 행동을 멈추고, 유심히 TV를 본다. 아마 아주머니도, 다른 손님들도 하던 것을 멈추고 뉴스에 집중하고 있는 것 같았다.

"평소 진로와 성적에 대해 가족과 잦은 다툼이 있었다는, 김 모 군의 친구의 증언과 함께…."

"쯧쯧…."

뒤에서 조용히 뉴스를 보시던 아주머니가 혀를 찬다. 갑자기 가슴이 한구석이 먹먹해진다. 우리 집은 다행히, 부모님이 나에게 아무런 제제를 가하지 않지만, 뉴스에서 저런 소식을 전해들을 때마다 내가 얼마나 편하게 사는지 알게 됨과 동시에 다른 친구들이 얼마나 힘들게 살아가는지 알게 되기 때문이다.

어릴 적부터 나는 그저 내가 원하는 대로만 지냈다. 물론, 부모님이 학원에 보내시면, 크게 반항하거나 도망가지는 않았다.

그렇다고 그렇게 열심히 한 것도 아니었다. 어차피 성적이 나빠도 혼나지도 않을 뿐더러, 내가 한 번도 무언가를 간절히 원하지 않았기 때문이었다. 놀러가고 싶을 때는 놀러가고, 공부하기 싫으면 그냥 잠이나 자는 것. 그것이 내 보통의 생활이었다.

다만, 유일하게 좋아하는 것이 있다면 음악을 들으며 책을 읽는 것이었다. 새로 나온 소설을 재미있다며 푹 빠져서는, 1주일 안에 10권을 읽은 적도 있었다.

공부와는 담쌓고, 그냥 내가 좋아하는 책만 보는 생활. 재미는 있으나 목표는 전혀 없는 생활. 차라리 전국 독서 대회 같은 것이라도 있다면 나가볼 텐데 말이다.

'만약에 그런 목표라도 있었더라면 내 생활의 가치가 조금은 더 나아지지 않았을까?'

"야, 연희야. 우리 늦었다."

"어? 진짜? 몇 시야? 어떡하지?"

"10시. 나는 오늘 그냥 빠지련다. 수업 끝나면 가방 갖고 나올래. 영 기분이 아니다."

오히려 침착한 민기의 모습에 나도 왠지 그쪽으로 마음이 기운다. 맨 날 학원에서 엎드려 잠만 잤지, 어차피 제대로 공부한 적도 없기 때문이다. 만약 수업 중간에 어디로 사라

지면, 집으로 전화가 갈지도 모른다. 허나 그것이 어설프
게 지내온 나날을 바꾸는 첫 스타트 일지 모른다. 지금껏
표면적으로만 유지해온 생활을 깨버릴 수 있는 그런 기회
말이다.

-PM 10:05-

계산을 마치고, 밖으로 나온다. 여러 빛깔의 불빛들 그리고 엔진 소리들이 함께 어우러져 길거리를 채운다.

오른 손을 재킷 주머니에 찔러 넣는다. 그리고 그 안에서 주섬주섬 핸드폰을 꺼낸다. 화면을 보니, 그저 오래 전에 유진이와 함께 교실에서 찍은 사진만이 화면 위에 덩그러니 있을 뿐. 여전히 유진이는 감감 무소식이다.

"계속 아까부터 핸드폰만 뒤적거리네."

갑자기 민기가 옆에서 투덜댄다.

"왜? 관심 좀 가져주리?"

내가 비웃는 듯한 표정으로 말했다.

"아니, 그게 아니라 뭣 땜에 그러냐고."

갑자기 진지하게 되물으면, 나도 그럴 수밖에 없다.

"아, 유진이 때문에."

"유진이? 왜?"

민기의 눈에서 강한 관심이 느껴진다. 자기 말로는 오래 전에 잊었다고 해놓고는 역시 오랫동안 마음에 담아 두었나보다.

"어제 준호랑 헤어졌거든."

"정말?"

"음, 너 엄청 놀랜다?"

"아니, 정말 예전에 마음 다 정리했다니까? 그것보다 예전에는 준호 녀석도, 유진이도 우리 친구였잖아. 더군다나, 네가 계속 걱정하니까 나도 무슨 일인가해서."

"말이 많은 거보니까 수상한데?"

"그건 그렇고, 너야 말로 왜 자꾸 캐물어?"

그러게 말이다. 나도 모르게 짓궂게 굴고 있었나보다.

"그건 아니고, 그냥 유진이가 하루 종일 기분이 별로였거든. 걔가 원래 속마음도 말을 잘 안하고 말이야. 은혜가 그러는데, 오늘 걔네 학원에 유진이가 안 왔데. 어제도 오늘도. 정말 결정적인 건 내 전화를 계속 안 받아."

"걱정 될 만하네. 더군다나, 냉전 중인 은혜가 전화했을 정도면 게임 끝인데?"

"그치? 혹시 나한테 뭐 삐진 거라도 있나?"

"너한테 삐질 게 뭐있어. 무슨 일이 있거나, 기분 탓이겠지."

하긴 그렇다. 쉬는 시간에도 이래저래 이야기도 나눴고

말이다.

'남자 친구랑 헤어진 것이 타격이 컸었나? 아니면, 공부가 힘들어서?'

"그러지 말고, 민기 네가 나대신 전화 좀 해봐."

"왜? 나랑은 연락도 안하는데? 서로 번호도 모르고."

"내가 번호 알려줄 테니까 한번만 해봐. 다른 사람 전화는 받을지도 모르잖아."

"어휴, 알았어. 한번만이다?"

"응. 여기 이 번호야."

오랫동안 연락을 끊고 살았던 것이 마음에 걸렸는지, 갑자기 민기가 선뜻 번호를 버튼을 누르지 못하고 멈칫한다. 그 간단한 번호 몇 번 누르는 것이 뭐가 그리 어렵다는 건지.

민기가 번호를 다 눌렀는지, 핸드폰을 들어 자신의 귀에 가져다 댄다. 그리고는 가만히 응답을 기다린다.

"여보세요? 아, 거기 유진이 핸드폰 맞나요?"

"받았어? 받았어?"

"좀 가만 있어봐. 여보세요? 네?"

내가 재촉하자, 민기가 손으로 내 입을 가로 막는다. 내가 옆에서 투덜투덜 대고 있는데, 이상한 것은 민기는 옆에서 계속 존댓말로 통화를 한다.

"네. 제 이름이요? 아, 네. 민기 맞습니다. 네. 죄송합니다. 어머니."

'어머니?'

"네. 아니에요, 안녕히 계세요. 감사합니다."

말을 마치기가 무섭게, 민기가 힘없이 핸드폰을 내려놓는다. 그리고는 십년감수했다는 표정으로 크게 숨을 한 번에 몰아쉰다. 어느새 얼굴이 딸기마냥 빨개졌다.

"어머니였어."

아직도 민망함이 안 사라졌는지, 당황한 표정이 역력하다.

"어?"

"유진이 어머니야. 네가 번호를 잘 못 알려 줬나보지."

내가 놀라, 허겁지겁 민기의 핸드폰을 뺏는다. 그리고 내 핸드폰에 저장된 번호와 비교해본다.

"진짜? 어디, 다시 보자. 에이, 아냐. 네가 잘 못 눌렀네. 여기 가운데 번호 한자리가 틀리잖아."

민기가 자기 머리를 긁적거린다.

"근데 말이야. 아무리 내가 번호를 잘 못 눌렀어도, 왜 하필 유진이 어머니야. 완전 민망하게."

그러게 말이다. 그 많은 번호들 가운데, 왜 하필 유진이 어머니한테 전화가 걸렸을까?

"가족끼리는 보통 번호를 비슷하게 많이들 하잖아. 대부분 뒷자리만 비슷하게 하긴 하지만, 유진이네는 특이한가보지 뭐. 아무튼, 다시 걸어봐."

내가 민기의 어깨를 툭툭 치며, 다시 핸드폰을 돌려준다.

"알았어. 이번엔 제대로."

민기가 무슨 다짐이라도 한 듯한 표정으로 번호를 누른다.

"뭐, 전화 하나 거는 게 어쩌다 대단한 일이 되어 버렸네. 웃기다 좀."

민기가 다시 한 번 수화기를 귀에다 가져다 댄다.

몇 초가 흘러도, 민기의 표정에는 변화가 없다. 옆에서는 내가 소리 없이 입모양으로 어떠냐는 물음을 던지지만, 민기가 고개를 절레절레 젓는 것을 보면, 여전히 신호만 갈 뿐 응답이 없는 듯하다.

아무래도 그 누구의 전화도 받지 않을 모양이다. 이제는 슬슬 정말 걱정된다. 하늘을 올려다보며, 한숨을 내쉰다. 유난히 달이 밝은 날이다.

'어디서 뭐하고 있는 거야?'

그렇게 혼자 마음속으로 중얼 거려본다.

3. 유진이의 두 번째 우연
-PM 10:11-

액정을 확인하니, 이번엔 모르는 번호다. 평소에는 잠잠하던, 핸드폰이 오늘 따라 한껏 바빠진다.

나는 이번에도 역시 전화를 받지 않았다.

하늘의 달이 그 사이에 더욱 밝아졌다. 옥상 깊은 곳까지 구석구석 밝혀주는 것을 보니 말이다. 밤이 깊어질수록 저 커다란 달은 그 운치를 더해간다. 이러고 있으니, 그 먼 옛날 사람들이 왜 그리 달을 사랑했는지도 알법하다. 마음이 차분해지는 빛이다.

우리는 1시간가량, 짧고도 긴 시간 속에서 그의 가족에 대해 이야기했다. 그리고 과거에 대해서도 말이다.

그는 어머니가 돌아가신 후, 아버지, 본인 그리고 형, 그렇게 3명이서 살아왔다고 했다.

그는 그 이후 의사가 되겠다고 결심했다고 했다. 어머니를 그렇게 떠나보낸 것이 계속 마음의 한이었다고 했다. 자신이 조금 더 나은 존재였다면 어떻게든 운명을 바꿀 수 있지 않았을까하는 바램에서였다.

그 도전은 학비뿐만 아니라, 여러 가지 면에서 힘든 일이었지만 다행히, 아버지와 형의 도움이 컸다고 그는 말했다.

결국 서른다섯 살이 넘어서, 그는 외과 의사가 되었고, 한 대학 병원에서 일하게 되었다고 했다.

그의 이야기를 들으면서 느낀 것은 정말 의사가 되는 과정이 그리 간단하지만은 않다는 것이었다. 나는 어머니가 매일 말하듯, 그저 의대에 진학하면 인생이 달라지거나 사람들이 알아줄 거라 생각했다.

다만, 그런데도 불구하고 내가 의대를 싫어했던 이유는 그저 내가 흥미가 없었기 때문이었다. 그럴만한 실력도 안 되는 것은 두말하면 잔소리이지만 말이다.

그래서 어떤 때에는 머리가 똑똑하고, 의대 진학에 꿈을 두고 있는 친구들이 그저 부러운 순간도 있었다. 차라리, 나도 적성에 맞았다면, 아니, 머리가 조금 더 좋았다면, 의대를 한 번쯤은 바라볼 수 있었을 텐데 하고 말이다.

하지만 내가 만약 그리했더라도 결코 인생이 화려해지거나, 마냥 편한 길은 아니라는 것만은 확실하다.

"병원에 들어가 한 동안은 아주 잘 일했지. 바쁘고, 힘들어도 그저 내 꿈이었으니까 좋았어. 그 길고 힘든 의대 과정을 끝냈다는 상쾌함도 함께 말이야."

그렇게 이야기하고는 그가 손을 뻗어 주머니에서 또 다시 담배 뭉치를 꺼내려고 하자, 내가 가로막았다.

내가 다시 그를 쳐다보는데, 그가 히죽하고 웃어보이고는 검지를 들어 '한 번만' 이라는 시늉을 한다. 결국 나도 포기하고 가로 막은 손을 내려놓는다.

"콜록, 콜록."

그가 담배에 불을 붙이며, 기침을 해댄다. 나는 그 모습을 안쓰럽게 쳐다보다가, 그냥 마저 이야기를 듣기로 한다.

"다른 동기들 대부분은 인기가 높고, 수입이 많은 분야를 택했지만, 나는 내가 스스로 힘든 길을 택했지. 나름 보람도 있었고, 일을 하다보면 어머니에게 다가가고 있는 것 같은 느낌이 들었어. 사실, 한번 만큼은 개인 병원을 차려보고도 싶었지만, 많이들 알고 있다시피 그건 여러 가지 면에서 돈이 너무 많이 들었지. 그래서 그냥 욕심을 부리지 않기로 했고 말이야."

사람은 누구나 본인이 가진 재능과는 무관하게 서로 다른 뜻을 가지고 살아가는 것 같다. 누군가는 돈을 위해, 또는 명예를 위해, 또 누군가는 스스로를 위해, 또 누군가는 사람을 위해 말이다.

의사가 되기까지의 과정도 사람마다 겪는 것이 다르기에, 결과적으로 나이 또한 제각각이라고 했다.

"그 다음은요?"

내가 다음 이야기에 대해 묻자, 그의 표정이 조금은 굳어졌다. 무언가 마음이 내키지 않는 모양이다.

"그 다음은 별로 생각하고 싶지 않아."

"왜요?"

내가 되묻자, 그는 잠시 하늘을 올려다보더니, 한숨을 내쉬고는, 다시 고개를 숙인다.

"학생, 아니, 이름이 뭐였지?"

그러고 보니, 우리는 서로의 이름도 모른 체, 대화를 나누고 있었다.

"유진이요. 흔한 이름이죠."

내 이름을 듣자, 그가 갑자기 귀에 입이 걸릴 만큼, 크게 웃어 보였다.

"흔하면서도 흔하지 않은 이름이지."

"왜요?"

"내 딸아이는 하나뿐이니 말이야."

"딸이요? 설마 이름이 같아요?"

"그렇지. 내가 생각해도 신기하군."

내가 신기하다는 듯 그를 쳐다보자, 자신도 따라서 웃어 보인다.

"딸 생각만하면 웃음이 나와서 말이야."

"왜요?"

"너도 나중에 커보면 안단다. 그저 보고만 있어도 행복하고, 그저 보고만 있어도 배부른 그런 마음을 말이야."

"그럼, 마지막으로 본 게 언제예요?"

그가 옥상 저 한 구석을 향해 왼손에 들린 꽁초를 집어 던진다.

"그러고 보니, 오랫동안 이런 이야기를 안 하고 살았구나. 오늘 따라 한숨 쉴 일이 한 두 개가 아니네."

"설마? 어머니처럼?"

"아니야. 저런, 너무 앞서 생각하면 곤란하지. 단지, 내 꼴을 좀 보라고. 언제 마지막으로 보았을 거라고 생각하나."

"그래도, 가족인 걸요."

"내가 굳이 말 안 해도 학생도 알거라고 생각해."

"이름도 아셨는데, 그냥 유진이라고 부르시죠?"

"왠지 이름을 부르면 딸 생각이 나서, 그냥 참기로 하려고."

그때였다.

또 다시, 핸드폰이 바닥에 누워 춤을 춘다. 이번엔 '바쁜 엄마'라는 두 단어가 선명하게 화면을 채운다.

"어머니인가 보군."

그 말과 함께, 그가 난간에서 내려와 바닥에 앉아 난간에 등을 기댄다. 그리곤 힘차게 기지개를 켠다.

"이번에도 안 받으려고요."

내가 고개를 돌려 그 쪽을 내려다보며, 말한다.

"걱정하실 텐데."

그가 고개를 들어 나를 본다.

"어차피 오늘이면 끝인데요. 이미 집에 유서도 남기고 왔고요."

내 말을 들은 그의 표정이 꽤 굳어졌다. 그가 걱정되는 듯한 목소리로 다시 한 번 입을 연다.

"무엇이 학생을 지금껏 그렇게 힘들게 했는지 모르겠군. 아니 무엇이 그렇게 만들었는지 말이야. 나랑 이렇게 편안하게 얘기하고 있다는 것 자체가 신기할 정도야."

"아니요. 그냥 전부 저 때문이에요. 그 누구도 잘 못한 적은 없어요."

"무슨 이유로 스스로에게 그런 짐을 지게 하는 거지?"

나는 오른 손에 쥐고 있던 핸드폰을 바닥에 내려놓는다.

그와 동시에 핸드폰의 진동도 그 수명을 다한다.

"아무것도 아니에요."

내가 난간에서 내려오며 말했다. 그리고는 엉덩이를 몇 번 턴다. 나는 다시 그 위에 앉기 무서워져서, 그냥 선채로 난간에 두 팔꿈치를 올려 기댄다. 그리고 고개를 내려 옥상 아래를 바라본다. 밤이라 그런지, 저 아래 아파트 단지에서는 돌아다니는 사람이 많지 않다. 물론 사람들이 엄청 작게 보이긴 하지만 말이다. 가끔 씩 승용차 몇 대가 지하주차장을 향해 들어가는 것만이 간간히 보일 뿐이다.

나는 다시 고개를 들어, 저 멀리 도로 위를 움직이는 빛들을 바라보고는 그를 향해 얼굴을 돌렸다. 그리고 고개를 젓는다. 그저 내가 지는 짐은 아무것도 아니라고 말이다.

4. 정희 씨의 첫 번째 우연

-PM 10:34-

"정희 씨 일단 자리로 와요. 아까부터 왜 그리 허둥지둥이세요?"

뒤를 돌아보니, 높은 구두 굽에, 검은색 여성 정장. 날카로운 눈매와 콧날. 한마디로 무서운 인상의 과장님이 나를 가로 막고 서있었다. 매장에서나, 회식 자리에서나 엄격한 것은 여전하다.

"잠시 만요, 과장님. 죄송해요. 딸이 전화를 안 받아서요."

그러자 과장님이 잠시 생각에 잠긴다. 그리고 다시 무언가 생각난 듯한 표정을 지었다.

"아, 유진이 말이에요? 고등학생 이랬나요?"

"네."

"알았어요. 다른 분들도 계시니까, 연락되면 곧 바로 자리로 돌아와요."

"네. 금방 가겠습니다."

회식 자리를 몰래 빠져나와, 몇 번의 전화를 걸어보았지만, 딸은 여전히 응답이 없다. 오늘 늦는다고 미리 전화를 했어야하는데, 매장 정리를 마치고 곧바로 회식 자리로 오느라 전화하는 걸 깜빡 잊어버렸다. 요즘 들어 시즌 행사가 열리느라, 점점 바빠지는 듯하다. 살림과 일을 병행할 자신이 점점 없어진다.

스트레스를 계속 받아서인지, 자주 무언가 실수하거나 까먹는 일도 잦아진다. 혹시나 해서 대학 병원에 찾아가보았지만, 그저 정상이라는 진단과 푹 쉬면서 안정을 취하라는 말을 듣기 위해 20만원을 지불했었다.

"잠깐만요. 실례하겠습니다."

어떤 커다란 키의 남자가 좁은 복도를 지나기 위해 말을 건넨다.

"네. 죄송합니다."

나는 비켜서기 위해 벽에 바짝 붙어 남자가 지나가는 것을 지켜보다, 화장실 문에 붙어있는 표시를 본다. 이 가게는 공용 화장실을 쓰나보다.

갑자기 몇 사람들이 더 와서, 문 앞에 줄을 서려했다. 나는 서둘러 복도를 빠져나왔다. 가게의 유리문을 열고 밖으로 나간다. 문이 열리자 가게안의 따뜻한 열기와 함께, 지글지글 거리던 고기 향도 나를 따라 함께 밖으로 달려 나온다.

시끌벅적한 술자리의 소음보다, 차와 스포트라이트가 가득한 길거리가 훨씬 마음의 안정을 가져다주는 느낌이다. 그곳에서 나는 시원한 공기를 들이 마신다. 답답한 가슴이 조금은 풀리는 기분이다. 혹시나 하는 마음에 핸드폰을 열어 확인해보지만, 딸에게서는 여전히 전화가 오지 않았다.

'장조림하고 콩나물 무친 거 냉장고 첫 번째 칸에 넣어놨는데, 말하고 나올걸 그랬나? 설마 밥도 안 먹고 자는 거 아냐?'

혼자 이런 저런 생각을 해본다. 매장 일을 마칠 때쯤, 딸애 학원에서 전화가 왔었다. 유진이가 오늘 학원에 오지 않았다고 말이다. 언제부턴가 유진이의 표정이 얼굴이 어두워짐을 나도 느끼긴 했었지만, 나에게는 거기에 신경 쓸 겨를이 없었다. 이유가 도대체 무엇인지 대화를 나눌 기회조차 잃어버렸기 때문이다. 새벽 6시쯤 회사로 나서면, 밤늦게까지 일하는 일이 일상이기에 말이다. 직접 딸애의 아침을 내 손으로 챙겨 준지가 언제인지도 기억이 나질 않는다.

"아, 맞다. 회식."

뒤를 돌아 투명 유리문을 통해 안을 들여다보니, 다들 정신없이 마시고는 얼굴이 새빨갛게 달아올라, 어차피 나는 안중에도 없었다.

한숨을 쉬며 하늘을 올려다본다. 오늘 따라 유난히 맑고 커다란 달이 보인다. 어둠속에서 온 세상을 환하게 비쳐주는 것이 너무도 아름다워, 넋을 놓은 채 잠시 멍하니 달을 바라보았다.

평소 같으면 그냥 알아서 집에서 밥 챙겨먹고 쉬고 있겠거니 했겠지만, 아까 전 걸려온 한통의 전화가 잊혀 지질 않는다. 학원에서 걸려온 전화보다, 더욱더 신경 쓰이는 한통의 전화가 있었다.

유진이 또래의 남자아이로부터 걸려온 전화였다. 처음 그 아이 말로는 유진이에게 걸려고 한 것이 나에게로 잘 못 걸렸다고 했지만, 아줌마의 직감, 혹은 여자의 직감으로 나는 그 아이의 목소리 속에서 무언가 불안함을 느낄 수 있었다.

그래서 내가 물었다.

"이름이 민기라고 했지? 혹시 유진이 요즘 무슨 일 있는지 아니? 나한테는 도통 말을 안 해서 말이야."

"아, 네. 요즘 기분도 많이 안 좋아 보이고, 오늘 학원도 빠지고, 친한 친구 전화도 안 받는다고 해서요. 괜히 신경 쓰게 해서 죄송합니다."

"아냐. 오히려 내가 고맙다. 덕분에 딸에 대해 조금은 알게 됐구나. 나중에라도 유진이랑 집에 놀러오면 아줌마가 맛있는 거 해줄게."

나는 결국 그 유진이 친구라는 아이에게 지키지 못할 으름장을 놓았었다. 어차피 매 번 딸아이 밥하나 제대로 챙겨주지 못하면서 말이다.

평소 같으면 그냥 지나칠 별거 아닌, 잘못 걸린 전화에 오늘은 왜 이리 허둥대는지 모르겠다. 더군다나 요즘 잦은 불면증으로 잠을 못 이루는 일이 허다했다.

오늘 새벽에도 2시에 겨우겨우 얕은 잠에 빠져들었지만, 화장실에서 들리는 물소리에 잠을 깼었다. 아마, 새벽 5시 쯤이었던 것으로 기억한다. 잠결이어서 확실히는 기억하지 못하지만, 유진이의 방문에서 빛이 새어 나오기에 문을 열어 확인해보니, 딸아이의 두 눈이 부어있었다. 그때는 그냥 피곤해서 그러려니 했었는데, 지금 생각해보니 혹시 운 것은 아니었을까 생각해본다.

"도대체 전화를 받아야, 알지, 휴. 내가 너무 유난떠는 건가? 아니지. 오늘 따라 그 전화가 마음에 너무 걸려."

핸드폰을 열어, 전화번호부를 뒤적거리다가, 전 남편의 번호를 보면서 멈칫거린다. 이럴 때 남편의 부재라는 것이 얼마나 허전하게 다가오는지 모르겠다. 두 사람의 몫을 모두 혼자 해낸다는 것은 불혹을 훌쩍 넘겨버린 나에게는 너무 벅찬 일이다.

'나 대신에 유진이 좀 챙겨주면 좋을 텐데.'

허나 그럼에도 불구하고, 나는 아직도 남편을 용서하기가 힘들다. 혼자 편하자고 그렇게 모든 것을 내팽개칠 수가 있는지 말이다.

어느 날은 매장의 한 직원이 내가 혼자 산다며 뒤에서 내 험담을 하고 다닌다는 얘기를 전해들은 적이 있었다. 그 이후로 마주칠 때마다 서로 언성이 높아져 몇 번 주의를 받은 적이 있다. 항상 나는 그런 부류를 미워했었다. 나에게는 직접적으로 아무 해도 입힌 적이 없었지만, 나는 그 사람이 그저 미웠다. 내 힘든 마음을 뒤 흔드는 것 같아서 말이다.

직장이라는 곳은 항상 더럽고, 힘들다고 느끼지만 어쩔 수가 없다. 내게는 유진이가 있고, 의대를 보내기 위한 자금을 빨리 모아두지 않으면 안 되니까 말이다.

그래도 오래 전, 우울증과 무기력함에 시달리던 나를 시누이가 달래어 겨우 집밖으로 끌어내지 않았더라면, 여기서 일하는 것조차 불가능 했을지도 모른다.

세찬 비가 하염없이 내리 던 저녁, 시누이가 불쑥 우리 집에 찾아왔었다. 물론 시누이는 원래부터 가끔 씩 우리 집을 찾아와서, 나대신 집을 청소하고 유진이를 봐주곤 했었다. 하지만 그날은 무언가 달랐다. 시누이가 남다른 각오를 하고 온 듯이 보였다. 그리고 자기 오빠는 이제 그만 신경 꺼버리고, 유진이를 봐서라도 앞으로 나아가야한다는 그 말이 지친 내 머리 속에 경종을 울렸었다.

그 이후, 나는 결국 직장을 구했다. 조금이나마 집중할 것이 있어야 할 것 같았다. 우울증에는 그게 낫다고 들은 적이 있기 때문이었다.

그나마 결혼 전, 서비스업에서 오랫동안 일하던 경력이 있었기에 나는 뒤늦은 나이에도 백화점에서 일할 수 있었다. 물론, 조금은 사촌 언니의 도움을 받아 자리를 소개를 받았지만 말이다.

만약, 그 도움이 없었다면, 내 몇 장 되지 않는 졸업장과 나이로는 그 어디에도 명함하나 내밀기 힘들었을 것이다.

어쨌든 그것이 바로 지금의 여성 의류 파트 자리였다. 일을 시작하기 전에는, 백화점 매장에는 모두 백화점 직원이 근무하는 줄로만 알았었다. 허나, 일을 시작 하고보니, 각 브랜드의 협력을 통하여 백화점 매장별로 파견이 이루어졌다. 난 그런 작은 것조차 모르고, 일을 시작해야 했었다.

더군다나 마음을 추스르고 시작한 일이 아닌 터라, 처음에는 실수도, 탈도 많았다. 하지만 꽤 일을 하고 나니 지금은 버틸만하다.

아니, 사실은 여전히 버티기 너무 힘들다.

그럴 때마다, 내 어린 딸과 시누이, 나를 소개해준 사촌 언니, 그리고 몇 년 전, 돌아가신 친정 엄마를 떠올린다. 유일하게 내가 힘들어하던 것을 이해해줄 사람들 말이다.

"밖에 추운데 안 들어가고 뭐하세요?"

옆에서 들리는 남자의 목소리에 흠칫 놀라 고개를 돌렸다. 남자의 나이는 나보다 조금 더 되어 보이고, 키는 꽤 크게 보였다. 중년 남성답지 않게, 날렵한 몸매가 인상적인 사람이었다.

"누구시죠?"

내가 물었다.

"아, 죄송합니다. 놀라셨죠? 저 이 가게 주인입니다. 담배 한 대 태우러 나오는 길에, 누군가 발을 동동 구르는 모습을 보고…."

"아, 네…."

잠시 어색함이 흐른다.

"계속 핸드폰을 열었다, 닫았다 하시는 걸 보니, 무슨 연락을 기다리시나보군요."

담배에 불을 붙이며, 내 손을 유심히 바라보던 주인이 다시 말을 꺼냈다.

"네. 딸이 계속 연락을 안 받네요."

내 말을 들은 주인이 입에 담배를 문 채로 왼 손을 들어, 그의 진한 황토색 가죽으로 된 손목시계를 확인한다.

"꽤 늦은 시간인데, 연락이 안 되면 걱정되겠어요. 실례지만 따님 나이가 어떻게 되죠? 어디 친구 집이나 학원에 있는 건 아닐까요?"

"아쉽게도, 이미, 학원에서도 연락이 왔어요. 그러고 보니, 초면에 쓸데없는 이야기를 꺼냈네요. 죄송해요."

"아닙니다. 그런 일이라면, 쓸데없는 이야기가 아니죠. 어차피, 저도 오늘따라 스트레스를 받아서 잠시 나온 참이었습니다."

"무슨 일 있어요?"

"네. 근데 얘기해도 되려나, 모르겠습니다."

자기 주인이 몸을 돌려, 담배 불을 끄고는, 문을 열고, 안으로 들어간다. 그리고는 가게 신발장 옆에 놓인 조그만 소형 커피 자판기에서 커피 두 개를 뽑고는 다시 어깨로 문을 밀고 나온다. 저 안에서는 대리님이 일어나 노래를 부르시고 계시고, 그 옆에 앉은 사람들은 벌겋게 달아오른 얼굴로 일제히 박수를 치고 있었다.

"조금 쌀쌀한 것 같은데 커피 좀 드시죠."

그가 양손에 들린 커피 중 하나를 나에게 건넨다.

"감사합니다."

커피의 열기가 종이컵을 뚫고 두 손 끝을 통해 느껴진다. 생각에 잠겨 잠시 추운 것을 잊었던 것 같다. 그저 가을인데도, 알딸딸했던 술기운이 풀리면서 바람이 조금 더 차게 느껴졌다. 그래서인지 따뜻한 커피가 조금은 위안이 된다.

"평소 제 식당에서 일하시는 분들하고 격 없이 지내는 편이었습니다. 좋은 분들이기도 하구요."

주인이 가볍게 커피를 한 모음 넘기며 말을 시작했다.

"근데 오늘 따라 유난히 저를 힘들게 하는 것 같습니다."

"왜죠?"

내가 커피에서 흘러나온 하얀 김들을 입으로 호호 불다가, 주인을 쳐다보며 물었다.

"의사를 하던 동생이 있었어요. 결혼도 했고, 정말 열심히 살아보겠다고 했었는데, 어떤 일이 터지면서 결국 집을 나가버렸지요. 저는 그 녀석을 의대에 보내겠다고, 결혼도 늦게 하고 이런 저런 일을 하며 살았었는데 말입니다. 아버지가 계셨지만, 혼자 일하시는 것만으로는 동생 의대에 보내기에 역부족이었죠. 결국 뒤늦게 얻은 제 부인도, 저와 아들 하나 남겨두고 나가버리더군요. 아마 경제적으로 더 이상 감당하기 힘들었나봅니다."

"마음고생이 심했겠어요."

"제가 고생하면서 지낸 것보다, 그런 동생 녀석이 집을 나가면서 남겨진 제수씨와, 매일 그 녀석 찾아보겠다고 불편한 몸으로 이리저리 다니시던 아버지가 걱정이지요."

처음엔 주인이 단순히 식당 일 때문에 스트레스를 받아 문 밖에 나온 줄 알았으나, 점점 심각한 상황에 놓여 있음을 깨닫는다.

"처음엔 식당일 때문인 줄 알았는데, 집안 일이 매우 크게 일어나버렸네요."

내가 질문하자, 주인이 '깜빡했다'라는 표시로 손을 들어 머리위에 가져다 댄다.

"식당 이야기를 하다 보니, 그렇게 되어 버렸네요."

"괜찮아요. 저만 힘들다고 생각했는데, 다들 집안에 이런 저런 일들이 있다는 걸 알았네요."

"네. 서로 가슴 속에 무슨 아픔이 있는지는 잘 알지 못하지요. 그래서 식당 분들도 그런 식으로 말하는 것인지도 모르겠고요."

"그런 식이라니요? 험담이라도?"

"험담이라기 보단, 아마 본인도 제가 딱해서 한 소리겠지요. 매일 동생과 아버지 수발든다고, 제 인생 한 번 제대로 못살아본 것이 안타까워서 일지도요. 저보고 과거는 잊고 이제 새 가정 좀 꾸려보라고 하는데, 이미 너무 많은 시간을 걸어온 것 일지도요. 그래서 참 좋은 말씀 인데, 차마 그 말이 귀에 들어오질 않네요."

내가 처음 우울증을 앓기 시작했을 무렵, 나는 그것이 우울증이라는 사실을 알지 못했다. 그저 세상이 모두 사라지고 내 안에 혼자 갇혀 버린 기분이었다. 점점 우울함의 단계를 넘어서 아무 것도 느끼지 못하는 상태에서는 그 누구의 말도 들리지 않는다. 말 그대로 스스로를 놓아버리게 되는 것이다.

비록 그가 우울증은 아니더라도, 사람은 누구나 극한 상황에서 갈피를 잃게 되어버린다. 그도 어쩌면 세상일에 치이고 치여 극한에 다다랐을지도 모른다. 사람이 감당하기 힘들 정도의 일들이 우리 주위에는 비일비재하니까 말이다. 그런 상황, 더군다나 극심하게 힘든 상처 속에서는 누구나 다른 사람의 조언은 그저 날카로운 가시처럼 느껴진다. 같은 상황에서라면 나라도 그랬을 것이다.

허나 누군가 그렇지 않았나. 인간은 최악의 상황에서도 마지막 순간까지 스스로 선택할 수 있는 자유가 존재한다고.

"동생은 아직 못 찾으셨나요?"

"네. 경찰 쪽에서도 요즘 살인이나 방화처럼 무서운 일들이 너무 많은 터라, 이런 일에는 쉽게 신경을 못 쓰고 있지요."

"제수씨라는 분은요? 혹시 연락 받은 것이 없을까요?"

"그랬으면 저에게 말했겠지요. 더군다나, 혼자 딸애를 키우느라 힘들 거 에요."

절실히 공감했다. 비록 상황이 다르긴 하더라도, 어쨌든 힘든 건 마찬가지였다.

"지금 몇 시죠?"

갑자기 다급한 마음이 들어 내가 물었다.

주인이 손목시계를 보더니, 11시 정도를 가리키고 있다고 말했다. 밖에 나온 지, 벌써 30분 정도가 지났다.

갑자기 유리문이 열리더니, 남자 직원 중 한 명이 손으로 입을 막고 급하게 뛰어나와 저 멀리 화단을 향해 뛰어간다. 또 한 명이 뒤 따라 나와 그를 쫓아간다. 한 명이 구석에 쪼그리고 앉자, 나머지 한 명이 그 뒤에 다가가 선다.

회식 자리 때 가끔 씩 보이는 광경이다. 자주 그러면, 다른 사람에게 피해가 가기 마련이다. 아마 자신의 양을 잘 알지 못했거나, 컨디션 문제이겠거니 하고 혼자 속으로 넘겨 짚어본다.

"가끔 드는 생각이, 살기위해 술을 먹고, 살기 위해 일하지만, 그것이 결국 오래 살지 못하는 길인 것 같습니다."

옆에서 주인이 담배를 입에 물고, 만취한 직원들을 바라보며 혼잣말로 중얼거린다.

"많은 사람들이 정말 무엇이 중요한지 모르며 살아가니까요."

내가 옆에서 주인의 혼잣말에 대답한다. 그러자 주인이 들고 있던 종이컵을 쓰레기더미 위에 올려놓으며 말을 잇는다.

"그렇죠. 저는 그저 사람들이 무리하며 살지 않는 세상이 왔으면 좋겠어요. '이럴 수밖에 없다'라고 생각하는 것이 아니라, '이렇게 살아야 한다는 생각'이 저에게는 더 좋게 보이는 것 같습니다."

내 앞의 가게 주인이라는 사람은 무른듯하면서도 무르지 않은 사람인 듯하였다. 부드러운 천속에 감겨진 두꺼운 칼

날과도 같은 느낌이었다. 상처로 다져지고 다져져 완성된 무언가가 그의 마음 안에 자리 잡고 있을 것이다.

그러면서도 한 편으로는 웃긴 것이, 그 주인도 결국 담배와 함께 살고 있다는 생각이 스쳤다. 스스로 삶을 줄여가면서 말이다. 나는 주인 몰래 웃으며, 잠시 손으로 얼굴을 가렸다.

"저는 식당 직원들이 기다려서 이만 들어 가보겠습니다. 실없는 소리 들어주셔서 정말 감사합니다. 덕분에 마음이 한결 나아졌네요."

주인이 나에게 감사의 인사를 한다.

"아, 저 혹시 죄송하지만, 가게 명함하나 가져갈 수 있을까요? 일 때문에 회식 자리 갖는 것 말고, 제 딸이라도 한 번 가게에 데리고 오고 싶네요."

내가 그렇게 말하자 가게 주인이 외투 안쪽 주머니에서 무언가 주섬주섬 찾기 시작하더니, 작은 알루미늄 케이스를 꺼낸다. 케이스를 여니, 여러 장의 명함이 들어있다. 주인은 한 장의 명함을 꺼내 나에게 건넨다.

"여기 있습니다. 자주 놀러오세요. 언제든 환영하겠습니다."

나도 고개를 숙이며, 내 명함을 찾으려고 했으나, 순간 회식 자리에 두고 나온 가방이 생각이 났다. 이래서 명함은 항상 몸에 지니고 있어야한다.

"괜찮습니다. 그냥 연락 주시면 바로 알아보겠습니다."

내가 당황해서 주머니를 뒤적거리자, 주인이 이미 눈치 챘다는 듯한 말투로 말했다.

"네. 감사합니다."

그렇게 주인이 들어가고, 나도 따라 들어가려는데, 가게 계산대위에 놓인 빨간색 유선 전화기가 눈에 띈다.

'진동이라서 안 받았던 것일 수도 있지 않을까? 집으로 걸면 받을 수 있지 않을까?'

생각해보니, 언제부턴가 집 전화를 잘 안 쓰게 되는 것 같다. 매일 핸드폰을 쓰면서 왜 쓰지도 않는 집 전화에 요금을 내고 있는지 의문이 들 정도였다.

그래서인지, 처음 딸이 전화를 안 받을 때, 집으로 전화를 걸어야한다는 생각은 아예 나질 않았었다.

마음속에서는 분명 '전화해도 딸아이가 집에 없을 거야' 라는 메아리가 들려오지만, 그 말을 애써 내 안에서 끊어보려 노력한다. 안 그러면 밀려오는 불안감을 떨칠 수가 없을 것만 같았다.

다시 핸드폰을 꺼내 집 전화번호를 누른다. 신호가 몇 번

가지만, 역시나 전화에서는 응답이 없다. 마치, 마음속에서는 '거봐. 거기 없잖아. 무슨 일이 생긴 것이 틀림없어.' 라고 말하는 듯했다. 이미 내 마음은 모든 것을 예감하고 있었다는 것처럼 말이다. 오히려 그런 나의 마음에 화가 치밀어 오를 정도였다.

신호가 끝이 나자, 다시 한 번 통화 버튼을 누르며, 속으로 '안 되겠다. 집에 가보자.' 라는 말을 반복한다. 발은 이미 동동 구르는 중이다. 뒤에서 요란히 계속되는 회식 자리는 이미 안중에도 없었다.

"위하여!"

그들의 축제는 시끄럽게 계속되지만, 여전히 핸드폰에서는 신호만 들릴 뿐 딸아이는 대답하지 않는다.

5. 그들의 계획

-PM 11:12-

어둑한 거실, 저 끝에서 하나의 빛이 번쩍거린다. 그와 동시에 전화가 요란한 소리를 내며 울어대고 있다. 나는 천천히 거실로 걸어가, 전화기의 화면을 바라본다. 그리고는 다시 고개를 들어, 정희 씨의 딸이 쓰고 있던 방으로 향한다.

모든 곳의 불은 꺼져있었고, 거실에는 은은한 달빛만이 그 안을 밝히고 있었다. 그리고 유일하게 그녀의 딸이 쓰는 방에만 환하게 불이 켜져 있었다. 마치 내가 원래 있던 자리로 돌아갈 때마다 보는 입구의 모습처럼 말이다.

방으로 들어서니, 침대 위의 이불은 이리저리 구겨져있었다. 바닥에는 겉옷으로 보이는 것이 떨어져있었고, 크고 작은 몇 권의 책과 그리고 옷걸이 2개가 흩어져 있었다.

책상 위를 바라보니, 깔끔한 글씨로 써놓은 종이 한 장과 필기구가 놓여있었다. 책상에 다가가, 종이를 들어 어떤 내용인지 확인해본다. 위에서부터 찬찬히 읽어나가고 있는데,

소리 없이 누군가 옆으로 다가왔다.

나는 읽고 있던 종이를 다시 내려놓고는, 오른 쪽으로 고개를 돌렸다.

길쭉한 키, 깡마른 몸, 약간 굽은 등. 그리고 검은 외투. 흔히 우리 사이에서는 전달자라고 불리 우는 이였다. 예전에는 그저 현장에 있는 우리들의 소식통 정도로 여겨졌지만, 요즘은 가끔 씩 모든 관여하기도 한다. 그것은 그들이 매우 많은 정보를 쥐고 있기 때문이다.

"누가 사고라도 쳤나요?"

그가 약간은 상기된 목소리로 먼저 말을 걸었다.

"아니요. 그저 아무 일 없습니다."

내가 자신감 있는 말투로 말했다. 그리고 그가 말이 없자, 내가 다시 입을 열었다.

"정희 씨는 아직 멀리 있습니다. 초조한지, 계속 이곳에 전화를 걸고 있지만요. 저는 잠시 그녀의 딸을 확인하러 이곳에 들렸고요. 그건 그렇고, 그쪽 일은 잘되어가나요?"

"딸을 굳이 그쪽이 맡을 필요는 없었을 텐데요."

내 질문에는 대답도 하지 않은 채로, 그가 나를 쳐다보며 말했다.

"한 인간 주위에 돌아가는 사건들에는 여러 사람이 필요한 법이지요."

내가 다시 한 번 명확히, 그에게 우리 일의 중요성을 못 박았다.

현장에 있는 우리들은 전반적인 일에 대해 세세하게 알지는 못한다. 물론 조금 씩은 겹치는 일들이 있는 지라, 미리 이야기도 나누는 경우가 있었다. 허나 일을 하는 중에는 소식통을 통하여 상황을 듣지 않으면, 제대로 일을 행하기가 어려웠다. 인간에게 핸드폰이 매우 중요하듯, 우리에게도 전달자들의 비중은 꽤 큰 편이다.

그러나, 가끔은 현장에서 일하는 우리들과 전달자들 간의 의견 마찰이 존재했다. 그래서 그런 이야기가 생겨났다. 우리가 시간이 흐를수록 인간을 너무 닮아간다는 이야기였다. 호기심, 질투, 경쟁 등이 그것의 일부였다. 일부에서는 이것 또한 상부에서 우리를 시험하는 것이 아닐까라는 의문을 제기 하였을 정도였으니 말이다.

"화재 사건은 어떻게 되었죠?"

내가 갑자기 궁금해져 그에게 물었다. 그는 여유롭게, 방 안을 둘러보다가, 다시 나를 쳐다보았다.

"그 쪽에서 들은 바에 의하면, 약을 먹었던 아이들은 결국 살아났답니다. 불이 났던 집도 다행히 빈집이었기도 하구요. 옆집까지 불이 조금 번지긴 했지만, 다른 현장 담당자 들이 주위에 사는 사람들을 미리 휴가를 보냈다더군요."

"다행이네요. 근데, 그런 이유가 뭐지요?"

"상부를 이야기하는 건가요? 아니면, 아이들을 말하는 건가요?"

그가 약간은 격양된 목소리로 내게 되묻자, 나도 잠시 고민한다.

"둘 다겠지요."

내가 그렇게 대답하자, 그가 이미 알고 있었다는 듯이 살며시 웃는다.

"그 아이들도, 결코 그런 것을 진정으로 원하지는 않았겠지요. 불만과 슬픔을 그런 식으로 잘못 표현한 것일 겁니다. 아이들만의 잘못으로 이끌고 가기에는, 너무 복잡한 사건이에요."

"하지만, 그렇게 말하기에는 이번 일이 너무 크지 않았나요?"

그렇게 질문하는 나 또한, 속으로는 그 모든 것의 이유를 알고 있었다. 얼마나 많은 사람들의 삶과 죽음을 보아왔는지 셀 수가 없었기 때문이었다. 그 일은 크게 생각하면, 큰 것이고, 작게 생각하면 작은 것이었다.

허나 누군가의 목숨이 실제로 위협받는 사건들은, 상부에서 의도적으로 한 것들이 아니다. 그런 사건은 대부분 인간에 의해 틀어지기 마련이다. 다행히, 이 번 사건은 아무도 죽지 않고 끝났으니, 모두를 향한 일종의 깨달음을 위한 도구로 쓰였을 뿐이다.

그가 방안을 이리저리 둘러보다가 나를 돌아보며 입을 열었다.

"물론 더 크게 일어났다면, 상부에서도 가만히 있지 않았을 거 에요. 몇 명이 더 현장에 나섰을 수도 있는 사건이었어요. 그러나 생각한 대로 아무도 크게 다치지 않아, 다행일 뿐이지요. 그저 많은 이들에게 세상이 그리 바르게 돌아가지 않고 있다는 경고 정도로 기억에 남겠지요. 그것을 깨닫지 못할 사람들이 대부분이겠지만 말이에요. 그 외에 생겨날 수 있는 수많은 연결고리와 파장들은 상부에서만 알고 있으니 저도 잘 모르겠군요."

"그랬었군요. 현장에서 일하는 우리들조차 계획에 대해 서로 말하지를 않으니, 사건의 결과를 보고나서야, 알게 되는 것들은 가끔 놀랍게 느껴질 때가 있어요."

"네. 저도 이런저런 이야기를 전해 듣는 놈이라고 하지만, 결국 사건이 일어나서야 알게 되는 건 마찬가지니까요."

그가 그렇게 말하며 고개를 끄떡였다. 그리고 갑자기 무언가 생각났다는 듯이, 다시 말을 잇는다.

"그건 그렇고, 여기 오기 전에 들은 것인데, 당신이 담당하는 정희 씨가 생각보다 빨리 돌아올지도 모르겠다고 하더군요."

그의 말에 내가 두 눈을 크게 뜬다.

"그런가요? 가끔은 생각처럼 일이 돌아가지는 않는군요."

내가 책상위에 놓인 종이를 바라보며 그렇게 혼자 중얼거렸다.

"처음부터 인간을 모두 우리 마음대로 할 수 있게 만들었다면 어찌 세상이 이렇게 변해버렸겠어요."

그가 그렇게 침대위에 앉으며 대답했다. 그것도 매우 차분한 목소리로. 그는 말을 끊지 않고 계속 해 나갔다.

"그렇기에 우리가 이런 일을 매일 하고 있는 거겠지요. 제 생각이긴 하지만, 상부에서 보기에는 우리도 계획의 일부입니다. 인간 세계에 그런 작은 틀어짐이 존재하지 않았다면, 우리 또한 존재할 필요가 없었겠지요. 알아서 모든 것이 잘 돌아갔을 테니까요."

그렇게 말하고는 그가 웃어 보인다. 그리고 그는 문턱을 지나 밖을 향해 나가려고 몸을 돌렸다. 인사대신 오른 손을 들어 나를 향해 몇 번 흔들고는 거실로 향한다.

나는 급히 그를 따라 방을 나왔다. 그리고 그에게 다가가 그의 팔을 잡으며 말했다.

"좀 더, 미뤄 줄 수 있지 않아요? 당신이 지금 다른 현장 쪽에 부탁할 수 있잖아요."

그가 고개를 돌려 나를 본다.

"어디 까지 원하지요?"

그는 기다렸다는 듯한 말투로 웃으며, 나에게 조건을 걸어왔다. 그러자 나도 그의 마음을 알아채고는, 활짝 웃으며 대답한다.

"이 곳까지만,"

그러면서 나는 손가락으로 바닥을 가리켰다.

"그 뒤는 제가 알아서 할 테니까 부탁합니다. 오늘은 그녀의 인생을 통틀어 가장 중요한 날입니다."

내가 다급히 부탁하자, 그가 다시 한 번 나를 돌아봤다. 그리고 그는 팔을 뻗어, 자신의 어깨 위에 있는 내 손목을 잡아, 살며시 옆으로 내려놓았다.

"이 세상에 단 하루도 중요하지 않은 날은 없지요."

그렇게 말하고, 그는 베란다가 보이는 곳으로 향했다. 그가 투명한 유리를 향해 팔을 뻗자, 팔의 일부가 그 안으로 들어갔다. 그리고 나머지 몸도 그 안으로 밀어 넣더니, 그는 곧 그 자리에서 사라졌다. 그 주위에는 그의 옅은 그림자만이 여운처럼 남아 있다가, 내가 허공에 몇 번 손을 움직이자, 더 이상 그마저도 보이지 않았다.

그가 가고나자, 나는 왠지 긴장이 풀려 긴 한숨을 내뱉고는 다시 몸을 돌려 정희 씨가 머물던 방으로 향했다.

어두웠지만, 내 눈에는 모든 것이 보였다. 우리가 원래 머무는 곳에 비하면, 이곳의 밝은 빛들조차 대부분 나에겐 어둠으로 느껴졌다. 그래서인지 나는 이미 이런 어둠에 꽤 익숙해져있었다.

방의 왼 쪽 구석에는 장으로 보이는 검은색 가구가 있었다. 나는 장으로 다가가, 가운데 작은 문을 열었다. 금색 문고리를 잡는 순간, 직감적으로 이미 그녀의 딸이 한 번 다녀갔음을 느낄 수 있었다. 다행히, 물건은 그 자리에 그대로 있었지만 말이다.

나는 이미 정희 씨 그리고 그녀의 딸이 느끼는 고통을 알고 있었기에 그리 놀라지는 않았다. 그리고 그것이 그녀의 딸에게 결코 허락된 일이 아님 또한 알고 있었다.

나는 안으로 손을 뻗어, 하얀 통을 집어 들었다. 그리고는 그것을 내 주머니에 넣었다. 다시는 그 누구도 손대지 못하는 곳에 감춰버릴 작정이었다.

다시 살며시 장의 문을 닫았다. 그리고 돌아 나오려고 하는데, 왼 쪽에 그녀의 하얀색 화장대가 보였다.

나는 그곳으로 다가갔다. 화장대 위에 투명한 덮개 유리 안에는 몇 장의 사진이 끼워져 있었다. 그 중에는, 아주 맑은 여름 날, 그녀의 네 식구가 산의 중턱쯤에서 등산복을 입고 찍은 사진도 있었다. 정희 씨는 지금 보다 꽤 젊었고, 그녀의 남편과도 꽤 잘 지냈던 시기였을 것이다. 그녀의 딸 그리고 아들도 자그만 체구로 그들 부부 앞에 서있었다.

나는 그 날, 지나가던 등산객의 모습을 하고, 그녀의 주위를 맴돌았었다. 그런데 갑자기 그녀의 딸이 조그만 손으로 은색 카메라를 들고 내게 다가왔었다.

"아저씨, 이것 좀 찍어주세요."

내가 잠시 당황하자, 그들 부부가 자신들의 아이가 너무 귀엽다는 듯이 배를 잡고 웃고 있었다. 결국 나는 그들의 사진을 찍어주었고, 그들은 감사하다는 인사를 남기고는 유유히 다시 산을 올랐다.

나는 그들의 결혼식에서 하객이었고, 그녀의 어머니가 돌

아가시는 순간에는, 다른 병실에서 생활하는 환자의 모습을
하고 있었다.

정희 씨와 그녀의 어머니가 머물던 병실은 작고, 소박했
다. 해가 항상 잘 들어와서, 낮에는 굳이 불을 켜지 않아도
꽤 밝고 온기가 가득했었다. 왼 쪽 천장에는 자그만 TV가
놓여있었고, 오른 쪽에는 그녀의 어머니가 좋아하는 식혜가
몇 박스 놓여있었다. 물론 그 당시, 그녀의 어머니는 그것
조차 마시기 힘든 상태였지만 말이다.

정희 씨가 어머니의 병실에서 잠시 자리를 비울 때면, 가
끔씩 내가 그녀의 어머니의 병실로 들어가 말을 걸곤 했었
다. 비록 그녀는 아무 말을 하지 못하였고, 몸은 비쩍 말라
괴로워하고 있었지만, 나는 그녀의 눈과 귀만은 나에게로
향해있음을 알 수 있었다. 그것이 비록 인간이 말하는 눈과
귀가 아니라, 마음임을 우리는 서로 느낄 수 있었으니까 말
이다.

"얼마 후에 당신이 눈을 감는 날이 온다면, 다시 눈을 뜨
는 그 순간에는, 당신이 한 번도 본 적이 없는 놀라운 곳에
서 있을 거 에요."

그 순간에도 정희 씨 어머니의 몸은 여전히 미동도 하지
않았었다. 허나 그녀의 마음만은 조금 씩 요동치고 있었다.

그녀의 심장이 그것을 나에게 말해주고 있었다.

"그곳에는 알 수 없는 황량한 숲이 펼쳐져 있어요. 마치 오로지 달밤에 의지하고 있는 컴컴한 산속과도 같아요. 당신은 그 속에서 끝임 없이 혼자라는 외로움과, 공포를 이겨내면서 앞으로 나아가게 될 거에요. 그리고 결국, 그 안에서 알게 되겠지요. 당신이 없는 세상에서도, 많은 사람들이 당신을 생각하고 있다는 사실을요."

그렇게 이야기하고 있는 사이, 누군가가 다가와 내 어깨를 잡았었다. 고개를 돌려 보니, 그녀는 왜소한 체구에 하얗고 아름다운 얼굴을 하고 서 있었다. 나는 그녀가 정희 씨의 어머니를 담당하고 여자임을 알아차렸다.

"그 끝이 언제인지는 말하지 말아요."

그녀는 나에게 부드러운 목소리로 속삭이듯 경고했다.

"어차피 그런 것은 상부와 당신만 아는 거 에요. 저는 정희 씨 외의 일은 잘 관여하지 않아요."

나는 그렇게 말하고, 곧바로 그녀를 향해 알았다는 표시로 고개를 끄덕였다. 그녀도 곧 알았다는 듯 나에게 미소를 보냈다. 그리고 그녀는 조용히 창가로 걸어가 해를 바라보았다. 내 눈은 그녀가 움직이는 곳을 따라가고 있었다.

"해는 아름다워요."

그녀가 빛줄기가 들어오는 창밖을 보며 말했다. 그리고 그녀는 곧 고개를 돌려 나를 바라보며 말을 이었다.

"그래서 가끔은 인간이길 원한 적이 있어요."

"하지만, 당신도 알고 있겠죠."

그렇게 내가 반문했다.

"알아요. 인간은 그런 것을 모두 잊어버린다는 걸요."

그녀가 말했다. 그녀는 창문에 올려놓았던 자신의 두 손을 뗐다. 그리고 몸을 돌려 나를 향해 다가왔다. 잠시 정적이 흐르더니, 그녀는 병상 위에 누워 힘들어하는, 또 자신이 오랜 시간 담당해온 여인의 여윈 얼굴을 보았다.

"하던 이야기 계속 해주세요. 분명 그녀에게 도움이 될 거에요."

그 말을 듣고, 나는 곧바로 고개를 끄덕였다. 그리고 병상 위에 누워있는 영혼을 향해 내 손을 뻗었다. 나는 천천히 눈을 감고, 병상 위에서 신음하고 있는 그녀의 이마에 손을 얹고 말했다.

"당신이 힘겹게 어두운 숲을 빠져 나왔을 때, 산 정상에서 당신의 눈앞에는 커다란 도시가 보일 거 에요. 공포와 외로움을 이겨냈으니, 이제 당신은 다시 인간 세상의 고통을 겪어야 해요."

나는 이마에 얹었던 손을 내려, 다시 그녀의 손을 잡으며 말을 이어갔다.

"당신이 해하고 미워했던 모두를 그곳에서 다시 만날 거 에요."

내가 말을 마치자, 옆에 서서 물끄러미 우리 둘을 바라보던 그녀의 담당자가, 차분한 말투로 내 말을 이어 나갔다.

"그곳에서 모든 사람으로부터 용서를 받고나서야, 결국 당신이 원하던 세상에 도달할 거 에요."

나는 옆에 서있는 담당자와 그리고 내 앞에 누워있는 정희 씨의 어머니를 번갈아 바라보았다. 담당자는 벌써 몇 십 년이나 정희 씨의 어머니를 지켜보았을 것이다. 그러니 나보다 애틋한 마음이 드는 것은 당연한 일이었다.

나는 깊게 숨을 고르고, 정희 씨 어머니의 감겨있는 눈을 응시했다. 자세히 볼 수는 없었지만, 그녀에게는 한 가지 미련이 남은 듯했다. 오직 한 가지가 말이다.

"정희 씨는 제가 책임 질 테니, 어머니는 이제 마음 편히 먹어도 되요."

내가 말했다.

그리고 내 말이 끝나자, 갑자기 그녀의 심장이 더욱 활기찬 소리를 내기 시작했다. 마치, 나에게 무언가 말하고 싶다는 듯이 말이다.

나는 잠시 생각에 잠겼다. 그녀의 심장이 빠르게 뛰는 소리를 듣고 나니, 갑자기 그녀에게 무언가 선물하고 싶어졌기 때문이었다. 너무 충동적이었던 것이라, 그것은 내 스스로를 놀라게 했다. 마치 그 순간만큼은 인간의 마음을 느끼는 것과 같았다.

"기회를 주고 싶어요."

내가 말했다.

나는 병상위에 누워있는, 그녀의 이마에 조심스레 내 손을 가져다 댔다. 손바닥에 그녀의 거친 주름이 느껴졌다. 옆에 있는 담당자도 내가 무엇을 하려는지 분명 알고 있었을 것이다. 허나 그녀도 나를 특별히 말리려고 하진 않았다. 인간들이 상부의 계획에 예외를 만들어내듯, 가끔은 우리도 예외를 만들어낸다.

몇 초 정도가 지나자, 그녀의 손가락이 조금 씩 움직이고, 옆에 멀뚱히 서 있던 기계가 시끄러운 소리를 내며 요동치기 시작했다.

그러자 복도가 시끄러워지고, 여러 사람의 발소리들이 들려왔다. 서로 서로 어디로 연락하라는 말로 소리를 질러댔다. 옆을 돌아보니, 담당자는 어느새 간호사의 모습을 하고

서 살며시 나에게 눈치를 주었다.

여러 명의 사람들이 몰려 들어왔다. 그리고 다른 환자 분은 나가있으라며, 나를 거칠게 병실 밖으로 밀어냈다. 천천히 닫히는 문틈으로 정희 씨 어머니의 담당자가 살며시 나를 향해 웃고 있는 것이 보였다. 그리고 그녀는 다시 몸을 숙여 옆에 있는 의사를 돕고 있었다.

문이 완전히 닫혔다. 그리고 나는 복도에 놓인 의자에 걸터앉아, 드러눕는 듯한 자세로 휴식을 취했다. 내 앞에는 뒤늦게 달려온 정희 씨가 거칠게 문을 열고 들어가려고 했다. 하지만 곧 어떤 간호사가 달려 나와, 곧 어머니가 깨어나실 지도 모른다는 말만 남겨두고는, 다시 문을 닫으며 병상으로 돌아갔다.

복도에서는 각 병실에서 나온 사람들이 무슨 일이냐며 주위를 두리번거렸고, 나는 의자에 앉아 묵묵히 정희 씨를 바라보고 있었다.

그녀는 문 앞에 주저앉았다. 그리고 서글피 울고 있었다. 어머니가 위험할지도 모른다는 불안감과, 깨어날지도 모른다는 기대감이 교차하는 듯한 표정이었다. 어쩌면 그동안 어머니의 수발을 들었던 서글픈 세월이 생각나서였을지도 모른다. 그리고 그녀는 고개를 숙이고, 혼자 눈을 감고 무언가 읊조리기 시작했다.

물론 나는 그 내용을 옆에서 모두 듣고 있었지만 말이다.

잠시 그녀와 내 주위에는 정적이 흘렀다. 복도에는 여전히 시끄러운 사람들의 소리가 가득했다. 병실 안에서는 의사가 무언가 외치는 소리가 들렸고, 정희 씨는 여전히 혼자 중얼거리고 있었다.

그러다 갑자기 눈을 뜬 그녀가 허겁지겁 외투 주머니에서 핸드폰을 꺼내더니, 어딘가로 전화를 걸려고 했다. 그녀의 손은 무척이나 떨리고 있었다. 정신이 없어서 인지, 그녀는 번호를 누르고, 지우고를 반복했다.

마침내, 그녀는 번호를 다 눌렀는지, 휴대폰을 귀에 가져가 누군가가 응답하기만을 기다렸다. 분명 누군가에게 급한 일이 있으니 빨리 와달라고 말하고 싶었을 것이다. 곧 그 사람이 전화를 받았는지, 그녀의 눈이 휘둥그렇게 변했다.

"당신 지금 어디야? 응?"

제 2 장

- 기 억 -

1. 정희 씨의 두 번째 우연
-AM 00:04-

"갑자기 어디냐고? 지금이 몇 신데 전화야?"

"당신 어쩌면 그렇게 매정해? 지금 유진이 때문에 너무 걱정 되서 전화했단 말이야. 유진이 일인데, 딱히 내가 전화할 데가 어디 있다고."

전화를 받자 차갑게, 나를 천대하듯 말하는 사람에게 정말 정나미가 뚝 떨어져버릴 것만 같았다. 하긴, 이미 떠난 사람에게 더 이상의 할 말은 없지만 말이다.

"유진이라면, 아까 나한테 전화 왔었어. 별일 아니겠지."

그 말에 심장이 덜컹할 것만 같았다.

"진짜? 그래서 당신 뭐라고 했는데? 유진이 지금 어디 있데? 나한테는 한 마디도 안하고 왜 당신한테 전화한 건데?"

이렇게 돌연히 연락이 안 되는 상황에서, 딸이 가장 먼저 찾은 것이 내가 아니라, 우리를 떠나버린 남편이라는 사실에 나는 너무도 기가 막혔다.

"당신이 애를 어떻게 했으면 그랬겠어?"

그 말에 화가 머리끝까지 올랐지만, 나는 우리 끼리 싸우고 있을 시간이 없다는 생각이 들었다.

"당신 같은 사람하고 그런 거 따질 생각 없으니까, 빨리 유진이가 뭐라고 한지나 말해봐."

"거참, 급한 성격하고는. 용돈이 필요했거나, 아니면 그냥 했겠지. 이유는 딱히 말하지 않아서, 길게 통화는 못하고, 그냥 몇 마디만 하다가 끊었어. 좀 기운이 없긴 하던데, 원래 나랑 통화하면 매 번 그런 식이야."

남자들은 원래 여자와 아이들의 미세한 변화에 둔감하다. 어머니이자, 여자인 내가 그것을 모를 리 없었다. 어쩌면 처음부터 이 사람에게 큰 기대를 한 내가 잘못이었다.

"당신 항상 그런 식이야? 감당할 수 없거나, 귀찮아지면 넘겨버리는 그런 것 말이야."

그렇게 내가 신경질적으로 쏘아대자, 그가 또 귀찮다는 말투로 말한다.

"당신 유진이 이야기 하다 말고, 갑자기 그건 또 무슨 얘기야?"

"나 힘들어 할 때도, 당신 그냥 그렇게 나가버렸잖아."

내가 말하면서도, 순간 스스로도 울컥하는 마음이 넘치려했다. 오랫동안 기억하고 싶지 않았던, 과거였다. 입이 잠시 파르르 떨렸지만, 입술을 꼭 다문 채로 견뎌낸다.

택시 기사가 내 표정을 보더니 무언가 이상함을 눈치 챈 듯했다. 아니면 내 말을 듣고는 놀랐는지, 잠시 백미러를 통해 눈을 흘긴다. 나도 고개를 들어 백미러를 통해 그를 쳐다보자, 그는 다시 앞을 보며 운전하는 척을 했다.

택시의 창밖으로는 술 취한 사람들이 하나 둘 쓰러져있고, 술 취한 사내들 끼리 서로 찻길로 뛰어드는 친구들을 말리느라, 비틀 거리는 몸을 서로 붙잡고 서있었다.

술 취한 사람들을 보자, 회식 자리에서 유진이가 전화를 받지 않았던 것이 떠올랐다. 나는 그 자리에서 곧바로 집으로 달려가고 싶었으나, 직원들에게 이런 저런 핑계를 대느라, 좀처럼 떠날 수가 없었다. 평소 같으면 일이 있다면 그냥 집에 보내주던 인간들이, 뭘 그렇게 오늘 따라 나를 못 가게 잡아두는지 도저히 이해할 수가 없었다.

나는 겨우 30분 여 만에 회식 자리를 빠져나와, 큰 도로 근처에서 택시를 잡으려고 했다. 하지만 모든 택시가 퇴근 하는 길이라며 승차 거부를 했었다. 희한하게 나는 내 앞에 있던 사람들이 모두 택시를 잡아 떠나는 것을 보고 있어야만 했다. 내 앞에는 그 어떤 택시도 서질 않았기 때문이었다.

결국 나는 버스를 타고 10분 정도를 달려, 차가 많이 있는 번화가에서 내렸다. 그리고는 우여곡절 끝에 택시에 올랐다.

가는 날이 장날이라고 했던가. 유진이 때문에 발을 동동 구르는 이날, 모든 세상이 마치 나를 집에 가지 못하게 하는 것처럼 느껴졌었다. 마음이 여전히 초조했다. 내 마음은 온통 집으로 향해 있었다.

"당신, 내가 그렇게 나간 게, 설마 전부 내 탓이라고 생각하고 있는 건 아니겠지?"

창밖을 보며 잠시 넋을 놓고 있던 사이, 신경질적인 그의 목소리가 전화를 타고 내 귀로 전해졌다.

"그럼? 아니야?"

나는 그렇게 말하면서도, 한 편으로는 가슴 속 한구석이 따끔 거리는 느낌이 났다. 심장이 답답하고, 마구 날 뛰면서 나를 두드리는 그런 기분 말이다.

'이런 걸 양심의 가책이라고 부르는구나.'

피해자가 나 혼자였다는 생각, 모든 일의 원흉이 다른 사람이라는 생각. 그 모든 생각이 나로부터 나왔다는 것을 나도 조금은 알고 있었다. 하지만, 나에게도 원인이 조금 있었다고 해서, 그 모든 잘못을 인정하고 싶지는 않았다. 그런 것을 인정하는 순간, 아마 나는 스스로를 두 번 다시 용서할 수 없었을 것만 같았다. 더군다나, 책임을 같이하지 못한 것. 그것이 그가 했던 남편으로써의 가장 큰 잘못이기도 했다.

"생각해보니 내일 일찍 회사도 가야하는데."

그가 그렇게 혼자 중얼 거렸다. 아마 그가 회사에서 일한지도 꽤 시간이 흘렀을 것이다. 나와 결혼하던 때쯤 그 일을 시작했으니까 말이다. 그는 직원들에게 참 좋은 상관이었다. 매우 유능했고, 직장에서도 어느 정도 인정받고 있었으니까 말이다.

하지만, 가정에서는 조금은 다른 모습이었다. 겉보기에는 다정하고 신경 쓰는 듯 했으나, 항상 자신의 속마음을 모두 이야기 하진 않았다. 그는 마치 모든 것을 혼자 삭이고 좋은 모습만 보여주어야 한다는 압박감에 시달리는 듯했다.

그래서인지, 대부분의 하고 싶은 말을 마음 안에만 담고 있었다. 그리고는 가끔씩 깜짝 놀랄 만큼 신경질 적으로 변했었다.

허나 나는 그런 그를 무척이나 사랑했었다. 오히려 그런 모습이 인간적으로 보이기까지 했었다. 평소에는 그저 다정한 사람이었으니까.

친정 엄마가 아프셔서, 매일 내가 살림에는 신경도 못 쓰고 병원에 있을 적에, 항상 회사 일을 일찍 마치고 돌아와 어린 딸과 아들 모두를 챙겨주었던 사람이었다.

엄마가 돌아가시기 전 처음이자 마지막으로 눈을 뜨던 그 순간에도, 그는 모든 것을 내팽개치고 나에게 달려왔었다.

"어머니, 보이세요? 여기 정희가 어머니 다시 깨어나시는 거 보고 싶다고 얼마나 자주 울었는데요."

그가, 다리에 힘이 풀려 바닥에서 울고 있는 나를 끌고 와서는 엄마의 병상 옆에 앉히며 말했었다. 우리 뒤에서는 간호사와 의사가 축하드린다는 말을 남기고는, 웃으며 병실을 나가고 있었다. 그들도 무언가 큰 보람을 느끼는 표정이었다.

"자식이 둘에, 결혼까지 했어도, 너는 여전히 애구나. 콜록."

나는 그 옆에서 그저 울면서, 아무 말 없이 엄마의 손을 꼭 잡고 있었던 것으로 기억한다.

"근데 말이다. 얘야, 나 글쎄 무척이나 신기한 경험을 했단다."

"응? 엄마, 무슨 경험?"

내가 급히 자리에서 일어나 엄마의 얼굴을 들여다보았다.
엄마는 그 어느 때보다, 환한 미소로 나와 남편을 보고 있
었다.

"어떤 목소리를 들었단다. 언뜻 꿈에서 그림자 같은 것을
본 것 같구나. 나이가 먹어서 그런지, 기억이 가물가물 하
지만, 목소리만큼은 기억이 난단다."

남편은 신기하다는 듯 우리 엄마를 보고 있었지만, 나에
게는 그것이 마치 엄마가 영영 어디론가 가버릴 것만 같은
소리로 들렸다.

"엄마 무슨 목소리였어? 의사 선생님?"

애써, 나는 그것이 사람의 목소리였기를 바랐다. 아니, 그
렇게 엄마가 착각해주길 바랐다.

"아니지, 아니지. 다른 것은 잘 기억이 나질 않지만 하나
만큼은 정확히 기억이 나는구나."

"엄마 무슨 말인데?"

그러자, 엄마가 몇 번 큰 기침을 하셨다. 나는 급하게 구
석에 있는 서랍에서 휴지 두루마리를 꺼내 엄마에게 가져갔
다.

남편은 옆에서 내 손을 꼭 붙잡고 있었다. 그리고 나는
걱정스러운 표정으로 엄마의 얼굴을 어루만지고 있었다.

그러다 무슨 소리가 들려 뒤를 돌아보니, 어린 아들이 유치원을 마치고 돌아온 유진이를 데리고, 문 밖 복도에서 걱정스러운 눈으로 우리를 빤히 바라보고 있었다.

어린 딸은 졸린 눈으로 무슨 일이냐고 칭얼대고 있었고, 아들은 아무 일도 아니라며 동생을 달래고 있었다. 허나 아들의 눈에는 불안감과 슬픔이 서려있었다. 아들도 사실은 그저 어린 아이였을 뿐이니까 말이다.

나는 다시 병상위에 있는 엄마를 바라보았다. 그러자 엄마는 휴지를 조심스레 접어서 옆으로 치우고는, 크게 한숨을 쉬었다. 그리고 이불 속에 있는 깡마르고 거친 손을 힘겹게 꺼내서 내 손을 붙잡았다. 차갑고 주름 가득한 엄마의 거친 손이 내 손에 닿자, 나는 정말 이대로 엄마를 놓쳐버리는 것은 아닐까 하는 생각마저 들었다.

"그 목소리가 글쎄,"

나는 그 순간, 엄마의 눈에서 작은 빛이 반짝이는 것을 보았다. 그리고 엄마는 내 손을 점점 꽉 쥐더니, 천천히 다시 말을 이어나갔다.

"꼭 너를 지켜주겠다 더구나."

나는 그 말에 다시 한 번 울음을 터뜨렸다.

뒤에 서있던 아들도, 달려와 내 뒤에서 나를 조심스레 안았다. 아직 한없이 어리지만, 생각이 깊은 아이였다. 훨씬 더 어린 유진이는 복도에 혼자 서서 울음을 터뜨리고 있었다.

"진웅이만 아니었어도, 지금 이러고 있지 않았을지도 모르지."

전화 너머로 들려오는 전 남편의 말에, 나는 또 다시 심장이 덜컹하는 느낌을 받았다. 정신을 차려보니, 예전 생각에 빠져 나도 모르게 눈물을 흘리고 있었다. 오래된 일이지만, 가슴이 조이고 아프고 시렸다.

"다시는 그 얘기 꺼내지마."

내가 가슴을 움켜쥐며, 입을 전화기에 대고 단호하게 말했다.

그 말에, 다시 한 번 택시 기사가 나를 흘깃 쳐다보았다.

나는 당장에라도 남편에게 소리치고 싶었지만, 차 안이니만큼 꾹 참아냈다.

'당신, 스스로 매정한 사람임을 증명하려고 애써 노력하지 말라고.'

나는 혼자 그렇게 생각했다. 전 남편은 내가 그렇게 말할 때면, 매번 나에게 화를 냈으니까 말이다.

"어휴, 알았다고 안할게. 그러니까 너무 무섭게 그러지 말라고."

전 남편이 한숨 쉬는 소리가 전화기를 타고 내 귀로 전해졌다.

"당신, 아무튼 유진이는 별일 없을 테니까 너무 걱정하지 말라고, 혹시 무슨 일 있으면 나한테 전화하고. 또…."

'탁.'

나는 대답도 하지 않고, 바로 전화를 끊었다.

어차피, 그도 도움을 줄 생각 따위 없으니까 말이다. 그렇다고 매번 돈을 빌려주고, 도움을 주었던, 시누이와 사촌에게 전화하기는 애매한 시간이 되어버렸다. 그들에게는 이미 많은 피해를 주었으니까 말이다. 아직 유진이가 무슨 일이 있는지도 모르는 상황에서 나 혼자 난리를 피우는 거라면 더더욱 그러하였다.

그러고 보니, 차가 아까부터 잘 가질 않는 듯한 느낌이 들었다. 나는 고개를 앞으로 내밀어, 택시 기사에게 물었다.

"아저씨 저기, 혹시 더 빨리는 못 가나요? 제가 상황이 꼭 빨리 좀 가야하거든요."

"원래 여기가 잘 안 막히는 길이라 일부러 이쪽으로 왔는데요, 아까부터 앞으로 갈 생각을 안 하네요. 아, 거참. 저도 미치겠네요. 오늘 마누라가 집에 들어 올 때 뭐 좀 사오라고 했는데."

기사가 혼자 중얼 중얼 말하고 있는 사이, 나는 주위를 두리번거렸다. 차창 밖에서는 운전자들이 창문을 열고, 팔을 밖으로 내밀고는 손에 담배를 들고 있었다. 내가 다시 고개를 돌려 기사에게 얼굴을 들이 밀었다.

"혹시 왜 이런지 아세요?"

"네? 아, 길이요? 아무래도 사고 난 것 같은데요. 이런 길에서 못가면 보통 사고죠. 이쪽에서 큰 길로 빠져나간 다음에, 고가타고 넘어가야 좀 시원하게 빠질 텐데, 완전 다 틀렸네. 왜 하필 지금 사고가 나가지고 말이야."

여기서부터 걸어갈 수도 없는 노릇이었다. 거리상으로도 그랬고, 그냥 내리기에는 우리가 너무 도로 한복판에 있었다. 언제 길이 트일지도 모르는 상황에서는 그냥 차라리 기다리는 것이 나을 것 같았다.

핸드폰을 열어 보니, 배터리는 아직 무사히 차있는 상태였다.

'다행히 집에 갈 때까지는 충분히 쓰겠네.'

그렇게, 생각하며 멍하니 창밖을 바라보았다. 사람들은 여기저기 차안에서 괴로운 표정을 짓고 있었고, 저 멀리 앞 쪽에서는 분주히 사람들이 움직이는 듯했다.

'툭, 툭, 투두 둑.'

창 문 위로 물 몇 방울이 쏟아져 흘러내렸다. 그러다 조금 씩 늘어난 물줄기가 창문 전체를 가렸고, 그것이 점점 나의 불안감을 더욱 요동치게 했다.

'혹시, 밖에서 비라도 맞고 돌아다니는 건 아닌가?'

나는 다시 손에 쥔 핸드폰을 열어, 단축번호 1번을 눌렀다. 그와 동시에 '제발 받아라.' 라고 속으로 백번쯤 되뇌어 본다. 그럴 리는 없었지만, 혹시라도 집을 나갔다면 비는 맞지 말았으면 하는 바램이었다.

빗줄기가 꽤나 거세다. 앞자리에서는 택시 기사는 오른손으로 이리 저리 라디오 채널을 돌리고 있었다. 때마침 한 방송의 DJ가 말한다.

"여러분, 저희 PD님 이 지금 밖에 소나기가 온다고 하네요. 곧바로 비에 맞는 음악 들려드릴게요."

2. 유진이의 세 번째 우연

-AM 00:25-

"그냥, 소나긴 가보군. 조금 있으면 또 그치겠지."

그가 하늘을 보고 웃으며 말했다.

나는 옥상 한 구석에 놓인 나무판자를 끌어와, 머리 위로 들어 올렸다. 판자를 들고 있어도 손과 팔이 모두 젖어버리는 통에, 그것마저 소용이 없었다. 물이 내 팔을 따라 흘러내려 옷을 적신다. 곧바로 나는 포기하고, 커다란 판자를 옥상 구석으로 힘껏 집어 던졌다. 머리와 온 몸에 차가운 물줄기가 떨어지고 있었다.

저 멀리, 빗줄기 사이로 한껏 연기가 나던 곳에서는, 이제 거의 연기가 보이지 않았다. 불은 물론 이미 오래 전에 꺼졌지만 말이다.

주머니에서는 진동이 계속 느껴지고 있었다. 비가 계속 오는 터라, 나는 그냥 핸드폰을 꺼내지 않기로 한다. 누가 전화를 했던 이제 그저 지겹기만 하다.

우리는 벌써 몇 시간 째 옥상에서 대화를 나누고 있었다.

심각한 이야기는 싫어서, 그냥 이런저런 웃긴 이야기를 떠들어 댔었다. 그러다 중간에는 아무 이야기도 하지 않고, 나 혼자 잠시 아파트를 내려가 슈퍼를 다녀오기도 했었다.

글쎄, 그가 말하길 먹고 죽은 귀신은 때깔도 곱다며, 자신의 주머니에 있던 5천 원짜리 한 장을 나에게 건네주었다. 그리고는 꼭 내가 다녀와야 한다며 옥상 계단으로 나를 떠밀었었다.

"아저씨, 맨 날 길거리에서 잤다면서 무슨 돈이 이렇게나 많아요?"

"어디서 났는지는 묻지 말고, 그냥 다녀와. 콜록."

그리고는 그가 손을 절레절레 저었다.

그에게 몇 번이나 이 상황에서, 이게 무슨 말이 되는 소리냐며 항의를 했었지만, 묵묵히 나를 밖으로 밀어 낼 뿐이었다. 어쩌면 그런 그가 재미있기도 했기에 나는 더 이상 아무 말도 하지 못했다.

결국 이야기를 하다말고, 나는 엘리베이터를 타고 아파트 근처에 있는 슈퍼에 내려가, 때가 잔뜩 묻고 젖은 5천원으로 빵과 우유를 사서 나머지 잔돈을 들고 슈퍼를 나왔다. 주인아저씨가 뒤에서 뭐라고 말을 걸었지만, 나는 상관하지 않은 채 다시 아파트로 돌아왔다.

내가 20층에 내렸을 때, 아까 보았던 계단 중간에 놓여 있는 빨간 자전거가 또 다시 눈에 밟혔었다. 왠지 모르게 계속 신경 쓰이는 자전거였다.

나는 그 순간, 오빠가 어렸을 적 나에게 자전거 타는 법을 가르쳐 줬던 것을 생각했었다. 아마 분명 앞에 있던 것과 비슷한 색깔의 자전거를 탔었다. 물론 내 자전거 앞에는 예쁜 분홍색 바구니가 달렸었지만 말이다.

내가 자전거를 타다가 넘어져, 울고 있을 때, 오빠가 나를 업고 집에 까지 데려왔었다. 그런 것을 보면 나는 아빠보다, 오빠와의 기억이 더 많은지도 모르겠다. 다른 집 친구들은 매일 오빠와 다투고 싸운다고 하지만, 나에게는 그런 기억이 없다. 어쩌면 기억이 안 나는 건지도 모르지만 말이다.

어쨌든 오빠는 항상 나를 끔찍이도 챙겨주었다. 내가 밤에 자다가 깨서 울기라도 하면, 오빠는 어머니가 할머니 때문에 많이 힘들고, 바쁘시지만, 곧 두 분 모두 건강하게 자주 볼 수 있을 거라고 했었다.

오빠는 그 누구보다, 똑똑하고 마음 씨 좋은 사람이었다. 그렇게 눈앞의 자전거를 보고 있으니, 오빠의 얼굴이 눈앞에 흐릿하게나마 아른거렸다.

"유진 학생."

내가 깜짝 놀라, 옆을 보니, 그가 빗속에서 나를 멀뚱히 쳐다보고 있었다. 그 옆에는 먹다버린 빵조각과 우유팩이 비를 맞으며 바닥에 굴러다니고 있었다.

"네. 아저씨. 그건 그렇고, 여기 너무 추워요. 비가 엄청 쏟아지잖아요."

"학생은 혹시 죽기 전에 비를 실컷 맞아보고 싶다는 생각 안 해봤어?"

"무슨 소리에요, 아저씨. 그럼 감기 걸려요. 사람들이 머리도 빠진댔어요."

그러자, 그가 재미있다는 표정으로 키득키득 웃어댔다.

"이제 죽을 마음이 싹 사라졌나보지?"

"네?"

내가 놀라 되물었다.

"감기나, 머리 걱정하는 거보면 그런 것 같은데?"

그의 말에, 나도 재미있다는 듯이 같이 웃었다.

"나는 가끔 비가 올 때면, 실 컷 비를 맞아보고 싶은 순간이 있었거든. 지금처럼 말이야."

그렇게 말하며, 그가 양팔을 벌리고는 하늘을 보며 눈을 감았다.

"그럼 꼭 내 안에 모든 것이 씻겨 나가는 기분이었어."

하늘을 향해 입을 벌리면서, 그가 말했다.

"저도 한 번쯤은 그냥 그렇게 모든 것을 털어보고 싶은 적은 있었어요."

나도 공감을 표했다. 물론 비를 딱히 좋아하는 것은 아니지만, 그냥 한 번쯤은 자유로운 기분을 느끼고 싶었던 것만큼은, 그와 그리 다르지 않았다. 나도 옆에 있는 그처럼 그렇게 양팔을 벌리고 하늘을 보며 눈을 감았다.

끝없이 펼쳐있는 하늘을 보니, 나는 갑자기 덜컥 눈물이 났다. 이상했다. 그냥 덜컥 쏟아졌다. 빗소리는 강하게 들렸고, 내 울음소리는 그 안에 묻혀있었다. 적어도 내 귀에는 그렇게 들렸다.

이유는 알 수 없었다. 그저 눈물이 나고, 울고 싶어졌다. 나는 점점 더 큰 소리로 울어댔다. 가슴에서 한 번 서러움이 덜컥 거리고, 목에서는 한 번 죄책감이 덜컥 거렸다.

먹구름이 환한 달빛을 가리고 어느새 옥상은 어두워져 있었다. 구름 사이사이로 조금 씩 빛이 새어 나올 뿐이었다.

옆을 보니, 그는 말없이 난간에 기대어 골똘히 생각에 잠겨 있을 뿐이다. 그도 조금은 우울한 표정을 짓고 있었다.

"아저씨, 어디 많이 안 좋으세요?"

내가 고개를 숙여, 바닥에서 비를 맞고 있는 그에게 다가 갔다. 나의 코맹맹이 소리가 거슬리긴 하지만, 이제 기분이 조금은 풀렸다.

"아냐. 그냥 잠깐 예전 생각이 나서 말이야. 콜록, 콜록."

"어떤 일인데요?"

내가 질문하자, 그가 잠시 고개를 들어 나를 한 번 쳐다 보고는 다시 고개를 숙였다.

"아주 오랜 시간 가족을 너무도 힘들게 했었지."

번쩍하는 섬광이 나타났다 사라졌다. 몇 초 뒤에 뒤에는 커다랗게 천둥이 옥상을 흔들었다. 내가 너무 놀라, 풀썩 주저앉아, 몸을 웅크렸다.

"아저씨가요? 혹시 돈 때문에요?"

비를 막기 위해 나름, 양손을 머리 위에 올리고, 얼굴만 살짝 내민 채로 그에게 물었다.

"아니."

그리고는 한 숨을 길게 내쉰다.

"그저 술에 찌들어 오랜 시간을 보냈지. 거참."

그가 주머니에서 담배 뭉치를 꺼내려고 하지만, 이미 구 겨지고, 젖어버린 뭉치만 나올 뿐이다. 그가 힘없이 뭉치를 주먹 안에 꽉 쥐고는 저 멀리 집어 던진다.

"몇 년은 동안은 그냥 퇴근 후에 조금 씩 마시는 정도였지만, 언제부턴가는 그 양이 통제가 되지 않더군."

나는 그저 조용히 빗속에서 고개를 숙이고 그가 하는 이야기를 기다리고 있을 뿐이었다. 아무 대답도 하지 못했고, 아무 말도 생각이 나지 않았다.

우리 엄마도 한동안 그랬었다. 아니, 어쩌면 꽤나 심각했었다. 엄마는 언제나 집 나간 니 애비를 욕하라며 울어댔지만, 나는 그 비난을 보낼 상대가 누구인지조차 감을 잡지 못해 계속해서 마음속에서 혼자 허우적거렸었다.

물론 오랫동안 그 여자와 살고 있는 아빠가 좋은 것은 아니었다. 속으로는 역겹고, 싫고, 미웠다. 허나 또 한편으로는 불쌍했다. 얼마나 힘들었으면, 하는 동정 때문에 불쌍하다기 보다는, 정말 그런 삶을 택한 인간으로써 불쌍하기도 했다. 그렇게 내 옆에서 울고 있는 엄마도, 그저 가여웠다.

어쩌면 나는 그 때부터 스스로에게 조금 씩 죄책감을 가져왔는지도 몰랐다. 나란 존재 때문에, 서로가 힘들어하고 있는 것은 아닌가하고 말이다.

'번 쩍! 구구 궁!'

그렇게 번쩍거림이 지나가자, 천둥이 내 몸을 흔들었다.

'번 쩍!'

빛이 눈부셨다. 그리고 몇 초가 지나자, 천둥이 큰 소리로 또 다시 온 세상을 흔들었다.

"너무 무서워."

"유진아, 오빠가 바닥에서 잘게. 이 침대 위로 올라가서 자."

천둥이 밤새 그칠 줄을 모르자, 내가 베개를 들고 오빠 방으로 달려갔었다.

"엄마는 오늘도 못 들어와?"

내가 침대에 누워 또 다시 밀려오는 알 수 없는 서러움에 훌쩍 거렸다.

"전에도 말했잖아. 곧 돌아오실 거라고. 걱정 말고 자도 돼."

지금 생각하면, 나는 오빠가 조용히 훌쩍거리던 소리를 들을 수 있었다. 사실, 엄마는 지금도 모르지만, 우리는 그 때 이미 알고 있었다.

엄마가 없는 날이면, 아빠가 밤마다 어디론가 나가고 있다는 사실을 말이다. 또한 그러다 엄마가 돌아오면, 아무렇지도 않은 표정으로 엄마를 반기던 것도.

오빠도 한편으로는 무척이나 누군가에게 기대고 싶고, 외로웠을 것이다. 나는 그저 훌쩍거리다가 지치면, 천장을 멀뚱멀뚱 바라보며 놀러가고 싶은 곳을 상상했었다.

"유진아. 너 그거 알아?"

침대 옆 오른 쪽 창문에서는 여전히 번개와 천둥이 세상을 밝히고 요동치게 하고 있었다. 오직 우리의 방안만이 고요함을 유지하고 있었다. 왼 쪽 바닥에서는 오빠가 그 고요함을 깨고 나에게 말을 걸었다. 아마 내가 무서울까봐 하는 이야기였을 것이다.

"사람은 죽기 전이나 아니면 죽고 나서, 자기가 힘들게 했던 사람들에게 용서를 받아야한데."

"힘들게 했던 사람?"

"응. 만약 안 그러면, 천국으로 들어갈 수가 없다고 하더라고."

그런 곳이 있다고 몇 번 들어본 적은 있었다. 그저 말로 혹은 그림으로 보았지만, 실제로 어떤 곳인지는 상상 속에서만 존재하는 그런 곳이었다.

"그러니까 너는 꼭 착하게 살아야해."

오빠는 마치 나에게 당부하듯 이야기했다.

"그럼 오빠는?"

잠시 정적이 흐르더니, 오빠가 말했다.

"나도 꼭 그럴 거야."

그러다, 서로 아무 말이 없자, 우리는 그대로 잠들었었다. 천둥이 치고, 번개가 방을 밝혀도 피곤이 몰려왔었다.

나는 그 날 꿈에서 할머니를 봤었다. 할머니는 어두운 밤 하늘 밑에 홀로 있었다. 오로지 달빛에만 의지하고 있는 그런 어두운 곳이었다. 할머니는 커다란 나무들이 있는 곳으로 나를 불러내고는, 머리를 몇 번 쓰다듬으며, 나에게 엄마를 부탁한다고 했었다.

그리고는 그저 커다란 나무 옆에 앉아, 나에게 계속 잘못했다고만 말씀하셨다. 집으로 꼭 엄마를 돌려보내겠다고 말이다. 또 이제 그만 용서를 해달라고 했다.

그리고는 그냥 그렇게 다시 숲 속으로 걸어 들어갔다. 나에게는 절대 따라오지 말라고 말했다.

며칠이 지나고, 할머니는 마지막으로 눈을 뜨고, 어머니와 대화를 하셨다. 그 얼마 후에는 결국 세상을 떠나셨다.

그 순간에도, 나는 그저 병원 복도에 혼자서서 오빠가 놓은 내 오른 손을 바라보며 울고 있었다. 누군가 돌아가신다는 것 자체가 어떤 것인지 조차 몰랐었으니까.

빗속에 내 눈물이 또 다시 숨겨진다. 흐르고 또 흐른다. 비가 조금은 잠잠해지자, 내 울음소리가 옥상에 조그맣게 울렸다.

"그런 일들을 왜 미리 알 수 없었을까."

나는 그렇게 혼자 중얼거렸다.

허나 꽤 높은 곳에서 울고 있는 이 소리조차, 저 멀리까지는 닿지 않았다. 그저 내 눈물만이 계속 흐를 뿐이었다. 하나하나 기억이 날수록 오히려 견디기가 힘들었다. 처음 이 옥상에 올라온 순간보다 지금이 더 괴로웠다. 그저 가슴이 찢어질 듯 아팠다.

옆에서 그는 내 어깨를 몇 번 토닥였다.

주머니에서는 핸드폰이 계속해서 춤을 추고 있었다. 나는 무음으로 바꾸기 위해 핸드폰을 꺼냈다.

그러자 핸드폰 액정위로 가는 빗방울들이 떨어졌다.

3. 연희의 세 번째 우연

-AM 00:43-

"역시 받을 생각이 없나봐. 아무리 그래도 걔가 가출하거나 그럴 애는 아닌데 말이야."

버스 맨 뒷좌석에 앉아, 전화를 걸어보지만, 여전히 응답이 없다. 그 사이에 몇 개의 문자도 남겨보았다. 허나 다 소용없는 짓이었다.

"부모님이 모르시지?"

옆에서 민기가 걱정스러운 눈으로 나를 쳐다보았다.

"뭘?"

내가 알 수 없다는 표정으로 되물었다. 그리고 민기가 다시 입을 열었다.

"이렇게 학원도 빠지고, 새벽 늦게 막차타고 유진이한테 무작정 가고 있는 거 말이야."

"그럼 너는 아버지가 너 이러고 있는 거 알아?"

민기도 할 말이 없는지, 다시 앞을 보면서 머리를 긁적였다. 그리고 한 숨을 크게 쉬었다. 이래저래 걱정이 되긴 하나보다. 하긴 나도 불안하고 초조하다. 부모님 몰래, 이 늦은 시간에 어디론가 향한다는 것이 말이다.

아까는 민기와 짜고, 학원에서 야간 자습을 한다고 부모님께 거짓말을 했었다. 학원에서 만약 집에 전화를 하지 않는다면 다행이지만, 혹시라도 전화가 간다면 한번은 발칵 뒤집힐 수도 있는 일이었다. 다행인건 그나마 둘 다 학원이 집에서 먼 것은 아니라서, 끝나고 걸어간다고 했을 때 허락하셨다는 것이다. 재미있는 것은 민기는 일부러 아버지가 바쁜 틈을 타서, 대충 이유를 둘러대고 전화를 끊었었다.

"유진이 집 근처에 내리는 순간, 우리는 더 이상 돌아갈 차도 없는데 말이지."

민기가 기지개를 켜며 말했다. 아마 시간도 시간인지라 피곤함이 몰려오나보다.

우리는 몇 분 전에 유진이 어머니에게서 연락을 받았었다. 잘못 걸렸던 민기의 폰 기록이 남아서, 그곳으로 전화하셨다고 했다. 민기는 서둘러 가운데 버튼을 눌러, 스피커폰 모드로 바꿨다. 유진이 어머니는 우리가 전화를 받자마자, 다급한 목소리로 말했었다.

"늦은 시간에 미안한데, 혹시 아직도 유진이 어디 있는지 소식 못 들었니?"

우리는 단 번에 아주머니의 떨리고 있음을 느낄 수 있었다.

"네. 저희도 아직 연락이 안돼서요."

민기가 말했다.

"그래. 고맙구나. 아줌마가 회사 때문에 서울에 있다가 경기도 쪽으로 가고 있기는 한데, 차가 너무 막혀서 오래 걸리는구나. 혹시 연락되면 아줌마한테 알려주렴. 늦은 시간인데 푹 자고."

우린 통화가 끝나기가 무섭게, 비를 뚫고 무작정 다음에 오는 버스에 올라탔다. 유진이 어머니로부터 전화가 오기 전까지는, 문 닫은 약국 앞에서 비를 피하고 있던 중이었다.

계산해보니, 거리상으로는 유진이 어머니 보다 우리가 더 빠를 것만 같았다. 마침 이것이 유진이가 자주 타던 버스라고 들은 적이 있었다.

예전에 몇 번 집으로 초대받은 적이 있는 터라 길은 어느 정도 기억이 났다. 전부 기억이 나지는 않더라도, 나는 그냥 무작정 찾아갈 생각이었다. 기사 아저씨도 이 쪽 방향이라고 하셨다.

"유진이 집에 찾아갔는데, 아주머니한테 혼나면 어쩌지?"

내가 물었다. 그리고는 버스 위에서 나오는 히터 바람에 손을 가져다댔다. 옷이 젖어 너무 추웠다. 그나마 히터가 나오던 터라 몸이 조금씩 따뜻해져왔다.

"오히려, 유진이 찾는 거 도와줬다고 부모님한테 잘 이야기 해주시지 않을까? 아니, 그건 좀 아닌가?"

조용히 핸드폰으로 게임을 하고 있던 민기가, 자기가 그렇게 말해놓고도 어이가 없는 듯 머리를 긁적였다.

"일단 가서 집 문이라도 두들겨 보자. 나는 걱정 되 죽겠단 말이야."

그런 나와는 다르게, 민기는 별걱정이 없는지, 옆에서 핸드폰만 두들기고 있었다. 그러다 게임이 제대로 안 풀렸는지, 민기가 작은 괴성을 내며 괴로워한다. 그리고는 나를 살짝 돌아봤다.

"오늘 하루 종일 뭔가에 홀린 것 같아."

민기가 손가락으로 자신의 머리 위를 빙빙 돌리며 말했다.

"왜? 오늘이 뭐가 어때서?"

내가 물었다.

"나도 그렇고, 너도 그렇고, 그냥 뭔가 오늘은 이상한 날인 것 같아. 일이 돌아가는 꼴이 그렇다고 할까."

"하긴, 일이 좀 그렇게 돌아가긴 한다."

가끔 그런 날이 있다. 나도 모르게 심장이 두근거리고 평소와 다른 하루 말이다. 물론 지금 하는 짓이 잘하고 있는 것인지, 잘 못하고 있는 것인지는 모르겠다. 하지만 마음 안에 무언가가, 나에게 꼭 해야만 한다고 요동치는 듯했다.

그런 상황 속에서는 현실적인 생각들이 잘 떠오르지 않는다. 마치 한 없이 불안하고 걱정되면서도, 앞으로 나아갈 수밖에 없는 그런 상황들처럼 말이다. 그런 순간에는 내 마음 안에서부터 알 수 없는 말들이 끊임없이 들려온다.

우리 바로 앞좌석에서는 대학생쯤 되어 보이는 여자가 하얀 표지의 책을 읽고 있었다. 머리는 뒤로 묶었고, 오른 쪽 귀에서는 커다란 링 귀걸이가 빛을 내고 있었다. 그리고 그 여자가 끼고 있는 작은 이어폰 사이로 시끄러운 음악이 들려왔다.

"책 제목이 뭐지?"

내가 중얼거렸다. 어차피 앞에 있는 여자는 음악 때문에 내 소리를 듣지 못할 테니까.

잠시 후, 민기가 몸을 바짝 앞으로 붙이더니, 창문에 비친 책 표지를 유심히 바라봤다. 여자는 여전히 기척을 못 느끼는 듯했다.

"나를 발견하는 여행?"

민기가 말했다.

"뭔지 모르겠지만, 지루할 것 같아."

"민기 너는 저런 책 싫어해?"

내가 물었다.

"응."

그러면서 민기는 다시 등을 의자에 기댔다.

의외였다. 항상 모범적이고, 무언가 똑똑해보였던 민기가 오늘은 왠지 다르게만 보였다. 역시 사람은 각자 재능이 다른가보다.

나는 공부는 안하지만 책을 좋아하고, 민기는 그 반대니까 말이다. 무언가 참으로 아이러니 했다.

나는 다시 창문에 비친 그 여자의 책을 보았다.

'나를 발견하는 여행.'

예전에 유진이가 내게 말했었다.

"해답은 의외로 간단한 것 같아."

유진이는 바람이 지나다니는 창문턱에 조용히 책을 올려놓고 읽고 있었다. 낡은 중학교 교실 안에는 우리 둘만이 앉아있었다. 뜨거운 낮의 햇빛이 학교 전체를 비추고 있었고, 여름이라 매미 소리가 세상을 채우고 있었다. 열어놓은 창문으로는 푸른 나무들이 바람을 따라 춤을 추는 소리가 밀려왔다. 교실 안을 가득 채우고 있던 열기들은, 운동장 위에 서있는 나무의 춤이 거세질수록 더욱 시원하게 교실 밖을 향해 밀려나갔다.

"무슨 해답?"

나는 운동장에 뛰어노는 아이들을 바라보며 물었다. 밖은 체육 시간이었다. 우리는 그날따라 너무 나가기가 귀찮아서, 몸이 아프다고 거짓말을 하고 교실에 숨어있던 중이었다. 해는 너무도 뜨거웠고, 우리는 그저 그늘에서 쉬고 싶었기 때문이다.

유진이가 내 어깨를 가볍게 두드렸다. 나는 고개를 돌렸다. 유진이는 책장 몇 개를 넘기더니, 곧 나에게 한 페이지를 펴서 보여주었다.

**"사람은 언제나 액자 속의 세계는 갈망하면서도,
정작 거울 속의 세계는 보지 못한다."**

내가 멀뚱멀뚱 종이만을 바라보고 있자, 유진이가 먼저

말했다.

"사람들은 언제나 다른 곳을 원하고 바라지만, 결국 해답은 자기 자신 안에 있다는 말인 것 같아."

"액자라면 그림을 말하는 건가?"

내가 그렇게 묻자, 창문틀에 기대면서 유진이가 계속 말했다.

"글쎄, 사람들이 만들어 놓은 틀일 수도 있겠지. 거울은 자신이 만든 틀일 수도 있고 말이야. 어쩌면 다른 세상이 아니라, 스스로를 돌아보는 거울을 봐야한다는 이야기 같기도 하고. 물론 그냥 내 생각이야."

그러면서 유진이는 의자를 조심스레 뒤로 밀고 일어났다. 그리고 곧바로 교실 앞으로 나아갔다.

그렇게 천천히 앞으로 나아가서는 칠판 앞에 있는 단상에 올라 나를 돌아봤다.

"나는 과연 어떤 사람일까?"

지금 생각해보면, 그 질문을 던지던 유진이는 어색하게 웃고 있었다. 약간 상기된 얼굴로 말이다. 잘못하면 눈물이라도 나올 것 같은 표정이었지만, 나는 그것도 모르고 대수롭지 않게 유진이를 손가락으로 가리키며 '너는 똑똑한 사람'이라고 말했다. 언제나 공부를 열심히 하는 친구였으니까 말이다.

그러자 유진이는 어색하게 웃으며 고맙다는 말을 했었다. 언제부턴가 그렇게 자신의 모든 진실 된 마음을 꺼내지 못하는 유진이었다. 표정에 모든 것이 써져있었는데도 말이다. 아마 지금 생각하면 유진이는 분명 다른 답을 원했던 것 같다.

"무슨 답을 원했을까?"

"뭐?"

옆에서 민기가 혼자 왜 중얼 거리냐는 표정으로 나를 바라보았다. 나는 민기에게 그저 아무것도 아니라고 손을 저었다.

그런데 갑자기 우리가 타고 있는 버스안의 몇 몇의 사람들이 일제히 왼 쪽 앞을 향해 고개를 돌렸다. 기껏 해봐야 우리까지 7명 정도 뿐이었지만 말이다. 우리는 맨 뒷좌석에 앉아 있었고, 약간 높은 위치에 있어서 그 쪽 창밖은 잘 보이지 않았다.

민기와 나는 몸을 살짝 숙였고, 사람들의 시선이 따라가는 곳을 보았다. 많은 사람들이 도로위에서 번쩍 거리는 봉을 들고, 길을 통제하고 있었고 버스 기사 아저씨도 서서히 속도를 늦추기 시작했다.

　도로 한 편에서는 조금 커다란 빌라처럼 보이는 건물이 우두커니 서 있었고, 그 위 꼭대기 층에는 시커멓게 타버린 흔적이 있었다. 앞에는 커다란 베란다처럼 보이는 네모난 구멍이 있었는데, 모든 유리가 깨지고 타버려 없어진 것 같았다. 도로 바닥에는 부셔진 유리 파편 들이 즐비하였다. 빌라의 한 쪽은 심하게 탔고, 그 옆에 있는 집는 조금 그을린 것으로 보아, 불이 한 쪽 집에서 건너편 집으로 번진 것처럼 보였다.

　비가 내려서 인지, 연기는 많이 보이지 않았지만, 그 현장의 생생했던 순간만큼은 지금 보이는 흔적만으로도 느낄 수 있었다.

　골목과 도로에는 앰뷸런스와 소방차가 요란하게 번쩍 거렸다.

　그런데 생각해보니, 오늘밤 뉴스에서 보았던 현장인 듯하였다. 직접 눈앞에서 보니, 무서운 사건이 코앞에서 일어난 것만 같아 두려움이 밀려왔다. 그리고 나에게는 그런 일이 일어나지 않았음을 다행으로 여겼다.

　민기도 내 뒤에서, 휘둥그레진 눈으로 화재 현장을 뻔히 쳐다보고 있었다. 분명 민기도 많이 놀란 눈치였다.

"그 불 지른 아이는 지금쯤 후회하고 있을까?"

민기가 먼저 입을 열었다.

"글쎄?"

나도 딱히 떠오르는 생각이 없었다. 그저 눈앞의 광경이 무섭게 느껴질 뿐이었다.

그때 느릿느릿 기어가던 버스가 정지했다. 창 밖에서는 구조대원으로 보이는 사람과 경찰이 버스로 다가왔다.

버스의 문이 '치 익' 하는 소리와 함께 열렸다. 그리고 그 두 명이 올라왔다.

먼저 구조대원으로 보이는 사람이, 우리를 보며 말했다.

"죄송하지만, 화재로 인해 일시적으로 이곳은 통제 중입니다. 불은 이미 꺼졌지만, 현장 정리를 후에 소방차들이 빠져나가야하니, 여기부터는 더 이상 차가 갈 수 없습니다."

유진이 집이 그리 먼 것도 아닌데, 왜 하필 코앞에서 이런 일이 생기는지 모르겠다.

경찰이 옆에서 말을 이었다. 여기서 20분 정도 대기하거나, 아니면 가까운 사람들은 걸어갈 것을 권했다.

그 말을 들은 민기와 나는 잠시 생각에 잠겼다. 사실 느낌에 15분 정도만 더 가면 도착할 수 있을 듯했으나, 밤이 너무 늦었고, 무엇보다 비가 걱정이었다.

그런데 창밖을 보니, 어느새 비가 그쳐있었다. 천둥도 번개도 그 어떤 것도 느껴지지 않고 잠잠했다.

우리는 그냥 내리기로 했다. 버스 안에 몇 명은 나가지 않고 앉아있었고, 다른 몇 명은 투덜거리며 우리 보다 먼저 버스에서 내렸다.

버스에서 벗어나니, 차가운 공기가 느껴졌다. 허나 다행히 비는 그 양이 한계에 다다랐는지, 한 방울도 오지 않는 듯했다.

"옷이 그 사이에 좀 말라서 다행이야."

나는 그렇게 말하면서, 뒤따라 내리는 민기를 보았다.

"그러게."

민기는 그렇게 대답하면서, 불타버린 빌라를 보고 있었다. 그 옆으로는 달이 구름 뒤로 자신의 얼굴을 감추고 있었다. 그저 그 사이 사이로 은은한 빛만이 조금 세상에 내려와 닿을 뿐이었다.

"불이 너무 깔끔하게 번졌어."

"응? 무슨 말이야?"

내가 물었다.

"내가 정확하게 아는 건 아니지만,"

그러면서 민기는 손가락을 들고 빌라 맨 위를 가리켰다.

내 시선도 그 손가락을 따라 위를 향했다.

"마치 불이 오로지 저 두 개의 집만 태운 것처럼, 그 아랫집들에는 그 어떤 흔적도 남지 않은 듯해서 말이야."

"넌 별게 다 궁금하다?"

나는 그렇게 반문했지만, 한 편으로는 너무도 깔끔한 모양새가 이상하기도 했다. 다른 곳에서 봤던 화재 현장의 모습은 이 것 보다 더욱 처참했기 때문이다.

그래서 나는 그냥 속으로 빠른 진압 덕분일거라고 생각했다.

"일단 가자."

내가 말하자, 민기도 다시 앞을 향해 고개를 돌리고 걷기 시작했다.

그때, 민기의 핸드폰이 요란스레 소리를 내기 시작했다. 물론, 도로에는 빌라에서 빠져나온 수많은 사람들이 웅성거리고 있었고, 통제된 차량들과 경찰들의 무전 소리로 가득차 있었다. 허나, 민기의 벨소리가 워낙 컸던 터라, 그 사이를 모두 뚫고 내 귀에 전해졌다. 우리는 가던 걸음을 멈췄다.

"잠시만, 아빠인 것 같아."

민기는 핸드폰을 꺼내 귀에 가져다댔다.

전화를 받고 있는 민기의 표정을 보니, 아버지에게 혼나고 있는 것이 분명했다. 가끔씩 눈을 찡그리며 괴로워하는 표정이었다. 하지만 내 앞이라 그런지 애써 무표정함을 유지하려고 하는 것이 참으로 안타까워 보였다.

잠시 후, 조용히 귀에 대고 있던 핸드폰을 내리고는 민기가 말했다.

"아빠가 가게 문 닫고 집에 온지 한참이 지났는데도, 내가 안 들어왔다고 화내셨어."

"학원에서는?"

"아빠도 딱히 학원 이야기는 없던데?"

나는 그 말을 듣고 긴장이 풀려, 안도의 한숨을 내뱉었다. 한편으로는 '우리 부모님은 참 나를 많이 믿어주시는구나.'라는 생각이 들었다. 아니면 나를 그냥 딸이 아니라, 사내 아이정도로 생각하는지도 몰랐다.

"그럼 이제 어떻게 해?"

내가 걱정 돼서 민기에서 물었다.

"어떻게 하긴, 계속 가야지."

민기는 두 손으로 머리를 쥐었다. 뭔가 머리가 복잡한 기분일 것이다.

"아버지가 거기 어디냐고 당장 이리 오시겠다고 하더라.

고민하다가 그냥 솔직하게 동네 이름 말하면서, 유진이 네 간다고 했어. 가면 걔네 어머니도 계실 거라고. 아마, 이러다 차 몰고 달려오실 것 같아."

"생각보다 아버지가 엄하시구나? 네가 그렇게 무서워 할 정도면."

아까까지는 편안하게 게임이나 하고 앉아있던 민기의 얼굴에 불안함이 잔뜩 서렸다.

"일단 가자. 여기 너무 복잡하다. 유진이 있는 곳도 빨리 가봐야 되고."

민기가 내 팔목을 잡고, 먼저 발걸음을 옮긴다. 아마 전에도 이런 적이 있었다.

전에 한 번 민기네 집에 잠시 놀러갔을 때가 있었다. 그 집은 작은 규모의 간이 주택이었고, 현관은 꽤 허름했었다. 겨울이라, 눈이 여기저기 쌓여있었고, 회색 도둑고양이가 여기저기가 갈라진 콘크리트 돌담 위를 어슬렁거리고 있었다. 한 쪽 구석에서는 새끼 고양이들의 울음소리가 들렸다. 그리고 고양이가 사뿐 사뿐 뛸 때마다 나무가 흔들려, 우수수 떨어지는 눈 소리가 들려왔다.

따스한 해가 대문 밖을 밝혀주고 있었고, 우리는 눈이 얇게 깔린 계단을 지나, 현관 앞에 섰다. 계단 옆에는 아주 작은 창고로 보이는 컨테이너 박스가 붙어 있었고, 창고 문 앞에는 눈을 치울 때 쓰는 삽과, 빗자루가 쓰러져있었다.

민기가 현관문을 열자, 남자들만 사는 집의 향기가 물씬 풍겼다. 우리 집과는 사뭇 다른 냄새였다. 물론, 그 냄새가 좋았던 것은 아니었지만, 내 모성애를 자극했는지 챙겨주고 싶은 마음이 생겼었다. 언제인가, 민기는 엄마가 갑작스레 집을 나갔다고 했었다. 아버지가 가게에서 벌어오는 돈을 족족 할아버지의 병원비와 자신의 동생을 찾는데 써버리는 바람에, 어머니는 그걸 감당할 수 없었다고 했다. 민기가 말하길, 아버지는 여전히 모르시겠지만 어머니는 그 이후로 친정에서 시간을 보내고 계신다고 했다. 아마 그렇게 말한 것이 1년 전쯤이었던 것 같다. 그 일이 있고 몇 달 후에, 민기의 작은 아버지도 집을 나갔으니 말이다. 민기가 작은 아버지에 대해서는 특별히 나에게 말 해준 적은 없었기에 잘 기억   나진 않는다.

마침, 민기의 아버지는 스스로 운영하시는 고기 집에서 늦게까지 일하시는 터라 집에 계시지 않았다. 그래서 우리는 가볍게 부엌에 있는 라면을 2개를 냄비에 끓이면서 파를 썰었다. 그것은 마치 우리가 부부가 된 것 같은 착각마저 일으켜서, 지금 생각하면 나에게는 꽤 재미있는 경험이었다.

우리는 김이 모락모락 올라오는 라면을 배부르게 모두 다 먹어 놓고는, 설거지를 하기 위해 가위, 바위, 보를 했다. 결국 내가졌지만, 민기는 그런 건 주인이 할 일이라며, 나를 앉혀 두고 자신이 일어났었다.

부엌에서는 물소리가 들려왔다. 가끔씩 싱크대에 그릇이 부딪히는 소리가 들려왔다. 나는 주위를 두리번거렸다. 벽한 쪽에는 공기 방울이 올라오고 있는 작은 어항이 있었고, 그 안에는 금붕어 몇 마리가 입을 뻥긋거리며 움직이고 있었다. 그리고 그 옆으로 자그마한 갈색 간이 책상이 보였다. 나는 마치 공부라도 할 것처럼, 거실 한 가운데로 그 책상을 끌어왔다. 그리고는 그 위에 집에서 가져온 국어책을 폈다. 물론, 몇 분이 채 지나지 않아, 만화책을 쌓아놓고 보기 시작했지만 말이다.

우리는 저녁까지 결국 놀다가, 거실에서 만화책에 얼굴을 묻고는 그대로 잠이 들었다.

시간이 얼마나 흘렀을까. 시끄러운 소리가 들려서, 눈을 떠보니 어느새 캄캄한 저녁이었고, 옆에서는 민기의 아버지가 민기에게 큰소리로 꾸중을 하고 계셨다. 하라는 공부는 안하고 마음대로 친구나 데리고 와서 논다는 이야기였다.

나는 너무 미안하고 어쩔 줄 몰라, 밖으로 나가려고 했으나, 민기가 내 팔을 잡았다.

"잠깐만 앉아있어."

그렇게 말하고는 민기는 다시 아버지를 쳐다봤다.

그러자 민기의 아버지도 내가 조금은 신경 쓰였는지, 민기를 데리고 방으로 들어갔다. 곧바로 쿵하는 소리와 함께 방문이 닫혔다.

방안에서는 이런 저런 시끄러운 소리가 들려왔다.

이대로 살다간 망할지도 모른다는 이야기, 너도 아빠처럼 살면 안 된다는 이야기, 엄마를 보면 여자를 모르겠냐는 이야기. 사정은 정확히 알 수 없었지만, 마치 그것은 민기를 혼내는 것이 아니라 그가 스스로를 구박하는 소리처럼 들려왔다. 아니, 슬프기까지 한 이야기들이었다.

민기는 학교에서 꽤 공부를 열심히 하는 친구였다. 아니, 어쩌면 열심히 하기보다는 머리가 꽤 좋은 친구였다. 하지만, 착실했고 모범적인 모습이었기에 집에서 어떻게 지내는지는 나도 전혀 알지 못했다. 그저, 친정에 가 계신 어머니, 고기 집을 운영하시는 아버지에 대한 이야기를 한 번 뿐이 들은 적이 없었기에 나는 그것을 그렇게 대단한 일로 여기지는 않았었다.

소리가 잠잠해지자, 민기는 방에서 문을 열고 곧바로 나에게로 걸어 나와 팔을 잡고 집에서 나왔다. 그것이 가출은 아니었지만, 민기는 그냥 잠시 어디론가 가고 싶은 듯하였다.

우리는 1시간 정도 발이 조금씩 내려앉는, 두터운 눈길을 아무 말 없이 걸었었다. 바닥엔 끝없이 하얀 눈길이 이어졌다. 그냥 무작정 나도 민기의 팔에 이끌려 바닥을 보며 걸어갔던 것이 기억난다. 계속 아무 말도 없이.

"이제 좀 덜 추워? 난 아직도 춥다."

앞에서 날 끌고 가던, 민기가 나를 돌아보더니, 잡고 있던 팔을 놓았다. 정신을 차려보니 어느새 바닥에는 하얀 눈이 사라지고, 비에 젖은 바닥만이 남아있었다.

인도 옆으로는 도로 끝을 따라 흘러내리는 빗물이 하수구로 빨려 들어가고 있었다. 물소리가 선명하게 귀에 들려왔다. 어느새 유진이가 사는 동네에 도착한 듯했다. 여기서 한 5분에서 10분 정도 더 걸으면 되었던 것으로 기억한다.

그런데 갑자기, 바닥에 흐르는 빗물 위로 택시 한 대가 달려와 정지했다. 순간 물줄기가 사방으로 튀었지만, 다행히 우리는 몸을 옆으로 피했고, 우리 쪽으로는 물이 튀지 않았다.

곧 그 택시 안에서는 한 아주머니가,

"아저씨, 여기요. 잔돈은 괜찮아요."

라는 말과 함께 차에서 내렸다. 마치 뛰어내리는 것처럼 말이다. 우리는 그저 그 모습을 멀뚱히 쳐다보고 있었다.

연한 황토색 빛 코트에 짧은 헤어 커트를 한 아주머니였다. 키가 꽤 컸고, 커리어우먼처럼 매우 도도하고 예쁜 얼굴을 하고 있었다.

왠지 무척이나 낯이 익는 얼굴이었기에, 나는 그런 모습을 어디서 봤는지 기억해내려고 애썼다.

"이게 우리 엄마야."

유진이가 자신의 어머니의 방으로 나를 끌고 들어갔다. 해가 지려고 하는 시간이었기에, 불을 키지 않은 방안은 꽤 어두웠다. 그저 약간의 노을이 창을 뚫고 들어와, 방을 비쳐주고 있었다.

우리는 갓 고등학교에 들어왔었고, 교복이 예쁘다고 매일 좋아하던 때였다. 그래서 방과 후에 교복을 입고 그대로 유진이네 놀러갔었다. 그 당시 유진이는 이미 많이 어두워진 상태였다. 아니, 평정심을 유지하려는 것처럼 보이긴 했지만, 여전히 내 눈에는 어두웠었다. 신기한건, 그날의 유진이는 다른 날보다 무척이나 즐거워보였었다. 그 어떤 날보다도 말이다.

"잘 안 보이는데?"

내가 그렇게 말하자, 유진이는 화장대 옆에 있는 스위치로 다가가, 방의 불을 환하게 밝혔다.

"여기 이 사진."

화장대 위를 손가락으로 가리키며 유진이가 말했다. 오랫동안 학교에서 가족에 대한 이야기는 잘하지 않았던 터라, 그런 모습이 신기하게 느껴졌다.

사진에는 등산복을 입고 서 있는 유진이의 부모님이 서계셨고, 그 앞에는 오빠와 유진이로 보이는 두 아이가 있었다. 굉장히 작은 키에 앳된 얼굴이 너무도 귀여웠다.

"오빠는 어디 나갔나 보지?"

내가 묻자, 유진이는 잠시 나를 멀뚱멀뚱 쳐다보았다. 그리고 잠시 주위를 두리번거리더니, 창문 옆에 있는 침대로 다가가 앉았다.

"나 말이야, 이 날 산에서 굉장히 신기한 걸 봤어. 엄마는 나를 안 믿어줬는데, 나는 너무 신기해서 혼자 방방 뛰었어."

"무슨 일이었는데?"

내가 궁금해 하자, 유진이가 들을 준비는 돼 있냐는 표정으로 나를 쳐다보았다. 마치 무언가 얘기하고 싶어서 근질거리는 듯이 말이다.

"내가 잠시 엄마 손을 놓쳐서, 가족들한테서 떨어졌었거든."

"산에서? 무서웠겠네. 되게 어릴 때였을 텐데."

그러자, 유진이가 신이 났는지, 활짝 웃더니 팔을 길게 벌렸다.

"응. 근데 그때, 옆 쪽 풀들 사이에서 이만한 뱀이 나타난 거야 글쎄."

"정말?! 안 다쳤어?"

내가 깜짝 놀라자, 유진이가 재미있다는 듯 웃어댔다.

"응. 하나도, 오히려 내가 막 울고 있으니까 사람들이 와서 막 나뭇가지로 장난을 치고 웃더라고. 그런데 어떤 사람이 다가와서 크고 투명한 플라스틱 용기로, 나뭇가지랑 같이 뱀을 함께 가둬버렸어. 그러니까 다들 신기해서 한참을 구경하다가, 다시 전부 가버리더라고."

유진이는 잠시 생각이 잘 안 난다는 고개를 갸우뚱거렸다. 그러다 다시 심각한 표정으로 말을 이었다.

"한 몇 분쯤 지났을까, 글쎄, 뱀이 스스로 나뭇가지에 몸을 칭칭 감고는 자살해 버린 거 있지. 그게 죽은 건지, 그 나이에는 잘 알지 못했지만, 그냥 움직이지 않는 게 이상했거든. 무섭기도 했고."

"정말로? 뭔가 잔인하다. 좀 무섭기도 하고."

내가 고개를 절레절레 젓자, 유진이는 고개를 끄덕였다. 그리고 옆으로 걸어가 침대 위에 걸터앉아서는 다시 활짝 웃었다.

"응. 근데, 신기한건. 그게 끝이 아니야."

유진이는 자신의 오른 손을 허공에 들었다. 그리고 천천히 손바닥을 펴더니 한참을 쳐다봤다.

"내가 울면서 그 자리에 쪼그리고 앉아서는, 작은 손으로 박스를 툭툭 때리고 있었거든. 그러면서 속으로 말했어. 일어나라고. 제발 좀 일어나라고. 너무 무서웠는데, 그냥 그 뱀이 일어났으면 좋겠더라고."

순간 나도 모르게 너무 재미있어서, 웃음이 터져 나왔다.

"너도 참 대단하다, 그 나이에. 나라면 절대 그렇게 안하고 도망갔을 거야."

내가 배를 잡고 웃으며 말했지만, 유진이는 여전히 진지하게 미소 짓고 있었다. 눈은 바닥을 향한 채로, 무언가 깊게 회상하고 다시 회상하고 또 회상하는 듯했다. 마치 눈앞에서 그 박스를 보고 있는 것처럼 말이다.

"그 때, 어떤 아저씨가 와서는 나보고 그만 울라고 말하더니, 천천히 박스 위에 손을 가져다 댔어. 그리고 곧바로 그 박스를 치웠지."

"그래서?"

갑자기 나도 다음이 궁금해졌다. 그리고 마치, 그 광경을 보고 있는 듯한 느낌이 들었다.

"나는 뱀이 다시 살아나서 요란한 소리를 내며 움직이는 것을 멀뚱히 보고 있었어. 그 광경이 그 당시에는 당장 무슨 일인지, 잘 몰랐거든. 뱀은 그렇게 몸을 몇 번 흔들고는, 갑자기 우리를 향해 몸을 바닥으로 바짝 숙이더니, 다시 숲속으로 사라졌어. 지금 생각해보면, 정말 기적이었지. 아마, 기억나는 게 또 있다면, 뒤에 서있던 아저씨는 나한테 딱한 마디만 하고 다시 산으로 올라갔던 것 같아."

"뭐라고 했는데?"

유진이가 잠시 미간을 찌푸리더니, 허공에 손가락을 한 번 튕기고는, 스스로를 가리켰다. 그리고 고개를 들어 나를 봤다.

"나에게도 언젠가 그런 날이 올 거라고."

그 말을 듣고는 나는 사실, 약간의 소름이 돋았었다. 너무도 놀랍고, 진짜 같았지만, 왠지 믿기도 어려운 이야기였다. 그리고 무엇보다 그 말의 의미가 무엇인지 이해가 잘 되지 않았다.

나는 화장대에 기대 다시 그 사진을 보았다. 유진이의 아버지가 집을 나간 지, 꽤 시간이 흘렀다는 것은 나도 알고 있었다. 그건 유진이가 아주 어렸을 때 일이었으니까 말이다. 유진이의 어머니는 그 사실을 유진이가 어린 시절에는 제대로 이야기 해주지 않은 듯 했다. 그래서인지 유진이가 중학교에 들어가, 처음 그 일에 대한 진실을 모두 알게 되었을 때는, 나에게조차 무척이나 날카롭게 행동했었다. 마치 세상을 모두 저주하는 사람처럼 말이다. 허나 시간이 흐르면서, 유진이는 천천히 어둠에서 빠져나왔다. 전의 모습을 찾지는 못했지만, 적어도 날카롭거나 무섭게 행동하진 않았으니까 말이다.

물론 지금에 와서 생각해보면, 결코 그것이 유진이가 밝은 곳으로 나온 것은 아니었음을 알 것 같다. 유진이는 분명 자신 안에 새로운 방을 공사 중이었을 테니까 말이다.

분명 그 사진에는 유진이의 가족이 너무도 행복한 표정으로 서있었다. 유진이의 어머니 그리고 유진이의 아버지도 말이다.

"유, 유진이 어머니."

생각났다. 허나 이미 아주머니가 저만치 우리와 떨어져있
었다. 아주머니는 이제 막 골목으로 몸을 틀고 있었고, 곧
바로 골목으로 사라졌다.

"뭐?"

민기가 천천히 걸어가다, 나를 돌아보며 물었다.

"방금, 유진이 어머니 인 것 같아. 아니, 사진에서 그렇게
본 것 같은데."

"정말? 그럼 우리도 뛰어야하는 거 아니야?"

"그런데 가서 뭐라고 하지? 이 시간에 유진이 찾으러 왔
으니까 좀 재워달라고 할 순 없잖아."

내가 잠시 걸음을 멈추고 민기에게 물었다.

"그냥 일단 가자. 밤새 비 맞은 옷으로 이러고 있을 순
없잖아. 유진이 찾으러 온 것도 맞고."

우리는 뛰기로 했다. 아까 유진이 어머니가 뛰어 들어간
골목을 향해서 뛰었다. 숨은 헐떡이고, 몸에서 열이 나기
시작했다. 옷이 젖어 추운 것 보다는 오히려 뛰는 것이 더
났다는 생각이 들었다.

"저기 멀리, 높이 보이는 아파트가 있어. 유진이가 저기 살았던 것 같아."

내가 손가락으로 아파트를 가리켰다.

그렇게 한 참을 달리다, 우리는 언덕 입구에 있는 가로등 아래 멈췄다. 여전히 숨은 가쁘고 힘들었다. 갑자기 두 다리에 힘이 풀리는 기분이었다.

"언덕이니까, 여기부터는 그냥 걸어가자."

"그래. 그러지 뭐. 대신 유진이 어머니한테는 전화해서 사정해보자. 우리도 유진이 때문에 온 건데, 좀 혼나고 말지 뭐."

"그래. 좋은 생각인 것 같아."

민기 말에 나도 동의했다. 굳이 바보같이 뛰어가느니, 그냥 전화로 사정하는 것이 나을 듯했다. 어차피 우리도 유진이를 찾는 중이니까 말이다.

우리는 언덕을 오르고 있었고, 옆에서 민기는 아까 유진이 어머니에게서 왔던 전화번호로 천천히 전화를 걸었다.

"계속 통화중이라고 나오는데?"

들고 있던 핸드폰을 내리면서 민기가 말했다.

"그래? 몇 분 있다가 다시 걸어봐."

하늘의 구름은 늦은 시간까지 걷힐 줄을 몰랐다. 저녁까

지만 해도 참 크고 아름다운 달이었는데 말이다. 지금은 꼭
꼭 머리카락을 숨기고 나올 기미가 보이지 않았다. 그렇게
우리는 달 대신, 오직 노란 빛깔의 가로등에 의지해, 가파
른 언덕을 올랐다.

4. 정희 씨의 세 번째 우연

-AM 01:33-

급한 마음에 엘리베이터 문 앞에 서서 버튼을 몇 번씩 누른다.

15층, 14층, 13층….

엘리베이터는 여전히 내려오는 중이다.

"전화는 왜 계속 안 받는 거야. 도대체. 이제 집이 코앞인데."

유진이에게 계속해서 전화를 걸어보지만, 여전히 응답이 없다. 나는 발을 동동 구르다가, 그냥 계단을 뛰어 올라가 3층에 다다른다.

숨을 헐떡이며, 3층 엘리베이터 앞에 멈춰 서서 버튼을 다시 눌렀다. 그리고 벽을 짚고는 앞으로 몸을 숙여 천천히 숨을 고른다. 사실 진정이 되질 않는다. 나이 때문인지, 이제 3층까지 뛰어 오르는 것도 나에겐 벅찬 일이다. 더군다나, 오늘 너무 구두 굽을 높은 것을 신고 나왔다. 발에서는 화끈화끈 열이 나고, 발목이 욱신욱신 아려왔다. 더군다나,

허리가 너무나도 아팠다. 이 자리에서 구두를 그냥 던져 버리고 싶은 심정이다.

어두운 복도에 엘리베이터 내부의 환한 빛이 비치면서 문이 열린다. 난 몸을 일으켜, 엘리베이터 안으로 들어갔다. 문이 닫히고 서서히 엘리베이터가 올라가기 시작했다.

사방이 거울로 된, 엘리베이터 안에서 나는 밤마다 약간의 오싹함을 느낀다. 어렸을 적부터 무서운 이야기를 별로 좋아하지 않았다. 마치 거울에서 누군가 튀어나올 것만 같았기 때문이다.

6층, 7층, 8층, 9층, 10층…. 그저 계속해서 숫자가 바뀌는 것을 멍하니 지켜보면서, 나는 계속해서 발을 동동 구른다.

'덜 컹.'

"어?"

몸이 주춤거린다. 순간, 뒤에 있는 손잡이를 꽉 하고 잡는다.

'덜 컹.'

갑자기 몇 번 엘리베이터가 덜컹 거리더니, 더 이상 숫자가 바뀌지 않는 채로 11층과 12층 사이에서 멈춰 버렸다. 너무 어안이 벙벙하여 주위를 두리번거리다가, 문 여는 스위치를 몇 번 씩 눌러댄다.

'타다닥, 탁. 탁. 탁! 탁! 탁!'

누르다가, 안 되자, 버튼을 주먹으로 몇 번씩 쳐댄다. 허나, 여전히 엘리베이터는 움직이지 않는다.

'하필 이럴 때 말썽이야. 분명 오늘 아침에 출근 할 때, 경비 아저씨가 엘리베이터 점검 한다고 했는데.'

한 참을 버튼 근처에서 서성이다가, 저 위에 보이는 노란 버튼을 누른다. 허나, 그것도 먹통이다. 분명 경비실로 연결되는 버튼일 텐데 말이다.

엘리베이터 층수를 나타내는 표시기에 빨간 색 숫자가 갑자기 00으로 바뀐다. 마치 전산 상에 오류가 난 것처럼 말이다. 엘리베이터 안의 형광등은 깜빡이고, 나는 소리 지르며, 엘리베이터의 문을 두드렸다. 혹시나 우리 아래층에 사는 사람들이 듣지는 않을까 하고 말이다. 이 새벽에 지르는 소리라 어쩌면 더 잘 들릴지도 모른다.

"쾅! 쾅! 쾅!"

몇 번 문을 두드리다가, 손이 너무 아파, 반대 편 손으로 아픈 손을 쥐어 잡는다. 손이 벌겋게 달아올라, 욱신거린다. 막상 각자 방에서 듣는 소리는 매우 작게 들릴지도 모른다. 엘리베이터 안의 소리가 현관을 지나 각자의 방까지 가야

할 테니까 말이다. 어쩌면 경비실에서는 이 소리를 들을 수 있을까?

엘리베이터를 이리저리 둘러보다가, 천장에 보이는 감시 카메라를 바라본다. 1달 전쯤, 방범 차원에서 아파트에 설치되었던 것이다. 나는 그곳을 향해 손을 흔들면서 소리를 질러댄다. 물론 소리는 거기까지 들리지 않겠지만 말이다. 혹시 라도 경비 아저씨가 내 입모양을 읽을 수 있지 않을까 생각했다.

그러다 그냥 그렇게, 지쳐서 바닥에 주저앉았다. 엘리베이터 한 쪽 벽에 등을 기대서는 다시 고개를 들었다. 그리고 카메라를 향해, 작은 목소리로 그저 입술만 움직였다.

'꺼. 내. 주. 세. 요.'

이제는 소리 지를 힘도 얼마 남지 않았다. 어쩌면 오늘 모든 것이 나를 너무 지치게 했는지도 모른다. 회식 자리, 계속 되던 승차 거부, 나를 버린 전 남편, 사고로 인해 막힌 도로, 그리고 연락이 되지 않는 유진이.

나는 또 다시 이 안에 갇혀 나가지 못하고 있다.

세상은 오늘 도대체 나에게 무엇을 원하는 것일까.

오늘 하루는 아마 정말 역사에 남을 만큼, 일생 중에 가장 고된 하루가 될 것이다.

가슴이 너무 답답했다. 나는 막힌 공간을 싫어한다. 더군다나, 초조함이 몇 시간째 나를 죄여왔고, 쉬지 않고 뛰어서인지 계속해서 숨이 차올랐다. 심장이 안정되길 바라며, 나는 그렇게 주저앉아 벽에 기댄 채로 살며시 눈을 감았다.

어둠 속에서 목소리가 들려왔다.

"엄, 엄마, 답, 답답해."

나는 무릎을 모으고, 그 무릎 위에 웅크리고 앉아 있었다. 눈을 떠보니, 옆에서 진웅이가 가느다란 목소리로 나에게 속삭이듯 말했다. 정확히는 들리지 않았지만, 산소 호흡기 사이로 입이 조금씩 움직이는 것이 보였다. 진웅이가 숨을 쉴 때마다, 호흡기에는 김이 서렸다가 곧 사라졌다.

"엄마, 여기 있어. 응? 걱정하지 마. 조금만 참으면 될 거야."

내가 몸을 일으켜 진웅 이에게 다가가 말했다.

"앉아 계셔야합니다."

구조대원이 그렇게 나를 팔로 가로막으며 말했다.

"물."

진웅이가 물을 원했지만, 지금은 물을 먹을 수가 없었다.

"지금은 안 되니까. 조금 있다가 도착하면 먹자. 응? 알 았지?"

모두 상하고, 벗겨진 손이 내 손위에 와 닿았다. 그리고 는 진웅이가 말없이 고개를 위아래로 끄덕였다.

옆에서는 구조대원이 끊임없이 전자음을 내는 기계 옆에 앉아, 이것저것 체크하고 있었다. 그리고 박스 안에서 링거 를 하나 꺼내 옆에 있는 고리에 걸어 놓고는, 진웅이의 왼 쪽 팔에 찔렀다.

내 손을 잡고 있던 손이 잠시 움찔했다가 이내 안정을 찾 았다.

컴컴한 밤, 차 뒷문에서는 투명한 유리 위로 비가 떨어지 고 있었다. 그 사이 사이로, 초점이 흐릿한 차의 라이트들 이 번쩍거리며 빛나고 있었다. 그래서 밖을 정확히 볼 수 없었다.

차 위에서는 천장 사이로 요란한 사이렌이 뚫고 들어오고 있었고, 나는 덜컹 거리는 차 안에서 진웅이가 잠들지 않도 록 구조 요원을 거들었다.

그렇게 아마 15분 쯤 지났을까? 마치 10시간처럼 느껴지 던 시간이 지났을 것이다. 우리는 어느새, 병원 앞에 멈춰 선 듯 했다. 요원이 옆에서 내릴 채비를 하라고 말하고, 차는 점점 속도를 늦추고 있었다.

차에서 내리자마자 사람들이 밖에서 문을 열어주었고, 나부터 신속히 차에서 내렸다. 곧 바로 사람들이 들것을 차 밖으로 당겨서 끌어냈다.

나는 비를 맞고 뒤에서 멍하니 서 있다가, 들것이 땅에 닿자, 얼른 그것을 쫓아가려했다. 그 순간, 남편이 한 손에는 어린 유진이를 데리고, 한 손에는 우산을 들고 내게 다가왔다.

저 멀리서는 또 다른 구급차가 정차했고, 또 다시 사람들이 나와 들것을 내렸다. 그리고 그 위에 우산을 씌워 옮기기 시작했다.

우리도 곧바로 진웅이가 있는 곳으로 따라가기로 했다. 나는 멍한 상태였고, 그저 남편을 따라갔다. 그렇게 우리는 비를 맞으며, 병원 입구에 도착했다.

허나 안으로 들어서니, 로비가 너무 커서 진웅이가 어디로 갔는지 감이 오지 않았다. 나는 곧 지나가던 간호사를 붙잡고, 우리 진웅이를 어디로 데리고 갔냐고 물었다. 내가 갑자기 흥분한 목소리로 묻자, 간호사가 당황하는 듯했다.

내 눈에 진웅이가 보이지 않자, 눈물이 왈칵 쏟아졌다. 바로 진웅이가 이 병원 안에 있는 것을 알면서도, 내 눈 앞에 없자, 덜컥 겁이 났다. 마음이 더욱 급해졌다. 나는 저 멀리 보이는 안내 데스크를 찾아가, 빨리 진웅이를 찾아, 응급실로 데려가 달라고 아우성을 쳤다.

옆에 있던 남편은 지금 그곳으로 갈 테니, 그만 좀 하라며, 나에게 호통을 치고 있었다. 그리고 유진이는 그런 우리를 보며 겁을 먹고 있었다. 사람들이 모두 나를 쳐다봤다.

곧 간호사 몇 명이 달려왔다. 그리고 응급실로 안내 할 테니, 나에게 진정하라고 했다. 그렇게 나를 양쪽에서 잡고 일으키는데, 내 오른 쪽 주머니에서는 핸드폰이 빠져나와 바닥으로 떨어졌다.

'툭!'

정신을 차리고, 바닥에 떨어진 핸드폰을 멍하니 바라본다. 떨어지는 충격으로 잠시 핸드폰의 화면이 켜졌다. 시간을 확인해보니, 새벽 2시 1분이었다. 잠시 잠에 빠져 들었나보다.

나는 웅크리고 있던 몸을 겨우 일으켰다. 거울을 보았다. 퉁퉁 부운 두 눈이 가장 먼저 보였다. 엘리베이터 안에서 나는 계속해서 울고 있었던 것 같다. 내 모습이 거울에 반사되면서 끝없이 또 다른 내 형상들을 만들어냈다.

'드르륵.'

진동 소리가 엘리베이터의 바닥을 타고 내 귀에 들려왔
다. 그 자그마한 진동이, 마치 엘리베이터 전체를 흔드는
것처럼 들렸다. 나는 뒤로돌아 몸을 숙여, 핸드폰을 주웠다.

"여보세요?"

목이 잠겨 있음을 깨닫고는, 나는 애써 괜찮은 척을 해본
다. 전화 너머로 아이들의 목소리가 들려왔다. 난 순간 유
진이와 진웅이가 아닌가 생각했다.

그러나 놀라움도 잠시, 금세 나는 우리 아이들의 목소리
가 아님을 알게 되었다. 그들은 유진이를 찾아온 친구들이
라고 했다. 아까 나와 통화했던 아이들인 것 같았다. 처음
엔 어안이 벙벙해서 무슨 말인가 했지만, 듣다보니 집에 가
지 않고 유진이를 찾기 위해 집근처로 왔다고 했다.

평소 같았으면 혼을 내서 부모님께 연락을 드리자고 했겠
지만, 지금은 내가 그럴 처지가 아니었다. 아니, 오히려 고
맙기도 했다. 누군가가 내가 여기 있다는 사실을 알게 되었
으니 말이다.

잠들기 전에는 너무 지쳐서, 미쳐 119에 신고를 해야 한
다거나, 누군가에게 전화해야한다는 사실을 까맣게 잊고 있
었다. 그냥 혼자 난리를 피우고는 편하게 자버리다니. 나도

오늘 무척이나 힘들긴 했나보다.

나는 아이들에게 자세한 상황을 설명하고, 신고를 부탁했다. 아마 경비실에 가면 아저씨가 있을 테니, 내 사정을 전해달라고도 말했다.

그리고 집 현관문의 비밀 번호를 알려주면서, 미안하지만 13층까지 걸어 올라가서 집 안에 유진이가 있는지도 확인해달라고 했다.

그리고 곧 나는 전화를 끊었다.

전 남편에게 전화를 걸어, 이쪽으로 오라고 할까도 했지만, 굳이 그러고 싶지 않았다. 구조대원이 곧 올 테고, 이쪽에는 경비 아저씨도 계시니 말이다.

전화를 살며시 주머니에 넣어놓고, 나는 다시 고개를 들어 거울을 보았다. 거울 속에 있는 나는 참 오랜만이었다. 아침에 출근을 위해, 세수하고, 화장하던 그런 거울속의 나와는 참 달랐다. 땀과, 눈물로, 화장이 번지고 지워져있었다.

예전에도 그랬다. 헝클어진 머리. 퉁퉁 부운 얼굴. 눈물로 번진 화장. 마치 나는 피에로가 급하게 분장하다만 모습처럼 거울을 보고 있었다.

"언니, 그냥 우리 오빠 같은 사람 상관하지 말아요. 네? 언니 하나 밖에 없는 딸은 어떻게 하려고 그래. 매일 저렇게 울고 있잖아요. 나도 우리 오빠 때문에, 괜히 내가 죄책감 느껴져서 가만있지를 못하겠어. 유진이, 내가 가끔 와서 밥 먹이고 그러는 것도 한계가 있지."

바닥에는 깨진 도자기와, 흩뿌려진 빨래 더미들이 있었다. 한 쪽 구석에서는 먼지가 모여 작은 공처럼 구르고 있었다. 베란다 문틈으로 들어오는 공기가 먼지들을 조금씩 움직이게 할 뿐이었다.

나는 시누이의 목소리가 잘 들리지 않았다. 그저 멍하니 방안의 화장대에 앉아, 거울만 바라보고 있었다. 머리는 핀 몇 개가 꽂혀 있는 채로, 감지 않은 지 며칠이 지나있었다. 그리고 얼굴은 지저분한 화장으로 뒤덮여있었다.

"순전히 오빠 잘 못만은 아니잖아요. 안 그래요? 오빠도 나름 노력하고 그랬는데, 언니가 매일 지금처럼…."

시누이의 소리는 들리지 않았다. 나는 그저 혼자 있고 싶었다.

"시끄러워! 진웅이 어떻게 할 건데!"

그렇게 내가 끼어들었다.

"언니. 왜 나한테 따져요? 네? 나는 언니 도와주려고 왔잖아요. 우선 나는 유진이 좀 먹이고 가봐야 되요."

'쾅!'

시누이가 방문을 닫고 나갔다. 예전에 우리는 꽤 가깝게 지내던 사이였다. 주위 사람들 모두가 신기해 할 정도로 말이다. 모두들 나에게 시누이와 이렇게 사이좋은 집은 아마 없을 거라고 했었다.

나는 홀로 앉아 거울을 보고 있었다. 몇 달을 이렇게 지내다 보니, 이제 더 이상 눈물도 나오지 않았다. 그저 모든 것을 초월한 느낌이었다. 그렇게 멍한 정신으로 오랜 시간을 보내고 지냈던 것 같았다.

가끔 비가 오면 비를 맞으러 밖에 나가고 싶은 충동이 들거나, 물을 보면 빠지고 싶은 충동이 든 적이 있긴 했다. 죽고 싶은 것보다는, 그저 물에 빠지거나 비를 맞으면 시원할 것 같다는 느낌. 그게 내가 유일하게 느끼는 충동이었다.

문 밖에서는 유진이의 울음소리가 그치지 않았다. 시누이는 그런 유진이를 달래려고, 이런 저런 시도를 하고 있는 듯 했다. 그리고 곧 현관문 소리가 들렸다.

거실로 나가볼 까 생각도 했지만, 덜컥 겁이 났다. 그런 유진이 앞에서 웃으며 무언가 해줄 자신이 없었다. 나에겐 의욕도 힘도 남아 있지 않았다.

안방의 불은 꺼져있었고, 시간은 오후였지만 날이 흐려서 인지 방안은 꽤 어두웠다.

고개를 두리번거리다가, 손을 뻗어 불을 켰다. 그리고 불이 켜짐과 동시에 방 한구석에 걸린 액자가 눈에 들어왔다. 젊었을 적, 남편과 남산에서 찍었던 커다란 사진이었다. 남편을 두 번 다시 보고 싶지 않았지만, 나 혼자라도 젊은 시절로 돌아갈 기회가 있다면 다시 그 때로 가보고 싶었다. 그저 내가 있는 세계가 지금이 아니었으면 했다.

순간 지난 모든 것이 너무 억울하고 화가 났다. 나는 그대로 화장품 하나를 집어 눈앞에 있는 거울을 향해 던졌다.

순간 유리가 와르르 무너지고, 귀를 찢는 듯한 굉음이 끊임없이 들려왔다. 잠시 정적이 흘렀고, 시누이는 유진이를 데리고 잠시 밖으로 나갔는지, 그 누구도 내방에는 들어오지 않았다. 그래서 계속 되는 침묵이 더 슬프게 느껴졌다.

갑자기 집전화의 벨소리가 방안을 채웠다. 시끄럽게 울려댔다. 그것마저 집어 던지고 싶은 욕구가 마음 안에 솟구쳤다. 그렇게 뒤를 돌아 침대 옆에 놓여 있는 전화기를 보았다. 허나 그냥 참고, 그것이 지나가는 것을 기다리기로 했다.

그렇게 나는 그냥 앉아서,

'누가 대신 받겠지.'

라고 생각했다.

몇 번의 벨이 울리고 있는 것을 기다렸다. 하지만, 나는 다른 생각을 하면서 전화 옆에 앉아있었다. 무슨 생각을 하는지는 몰랐다. 아니면 그냥 아무 생각이 없었다고 하는 것이 맞을 것이다.

갑자기 아무도 나대신 받아줄 리가 없다는 생각이 들었다. 그리고 천천히 일어나 침대 옆으로 다가갔다. 집에 나 외에는 그 누구도 없었으니까 말이다.

그리고 손을 뻗어, 수화기를 들었다.

"여, 여보세요?"

5. 그들의 계획

-AM 02:14-

"예. 여기 경비실입니다."

"네? 네? 아, 아, 네! 안녕하세요! 저 지금 어떻게 해야 하죠? 구조대는 어떻게 됐나요?"

그녀가 놀란 목소리로, 나에게 이것저것 질문을 던져댔다.

"아이들이 찾아왔더군요. 계속 해서 신고를 하긴 했는데, 지금 화재 현장 정리와, 차량 사고 건으로 도로가 막혀 있고 인력이 많이 부족하답니다. 오늘 따라 사고가 많은 듯합니다. 아마 그게 끝나는 대로 이쪽으로 올 것 같습니다. 그래도 곧 나오실 수 있으니 너무 걱정하지마세요."

"하, 하지만, 엘리베이터가 덜컹 거렸다고요. 너무 무서워요. 거기에 지금, 우, 우리 아이 찾아야 해서요. 죄송하지만, 집에 인터폰 좀 해주실 수 있을까요? 혹시 옆에 그 아이들 없나요?"

내말이 끝나기가 무섭게, 그녀가 자신의 딸을 찾았다.

"인터폰은 아무도 안 받더군요. 안 그래도 아이들이 지금

13층으로 걸어 올라가고 있을 겁니다. 너무 걱정 마시고, 일단 그 안에서 조금만 참으세요. 곧 연락이 또 갈 겁니다."

"네. 아저씨. 정말 감사합니다. 우리 딸 찾으면 꼭 좀 다시 말해주세요. 아셨죠? 네?"

"예. 그렇게 하죠."

그렇게 말하고, 나는 전화기를 내려놓았다. 그녀는 아마 지금 자신보다 딸이 걱정 될 것이다.

아파트 위를 바라보았다. 이곳에서 그녀의 딸은 보이지 않았지만, 나는 그 아이가 저기 위에 있는 것을 느낄 수 있었다.

아이들은 지금쯤 13층에 들어가, 무언가 찾았을지도 모른다. 책상에 올려놓은 편지를 못 찾는 것도 그리 어렵지 않을 것이다. 나는 그렇게 뒷짐을 지고 경비실에 앞에 서서, 편안히 하늘을 보고 서있었다. 어느새 구름은 저 만치 움직여, 달이 밖으로 그 모습을 드러내고 있었다.

나는 뒤를 돌아, 화단에 심어져 있는 작은 풀들을 보았다. 그 옆에는 커다랗고 깡마른 나무가 서있었다. 그 커다란 나무에는 연하게 단풍으로 물들어 있는 나뭇잎들이 조금 보였다.

비를 맞아서인지, 모든 식물들이 싱싱하고 윤이 났다.

이것들이 앞으로 모두 어떻게 자랄지는 나도 잘 알지는 못한다. 허나 나는 항상 자연 속에서 경이로움을 느껴왔다.

특히, 겨울 한파가 불어 닥쳐 눈이 수북이 쌓여있는 산 속에서 나는 가장 큰 생명을 느꼈다. 그럴 때마다, 나는 정말 내가 인간이 된 것만 같은 느낌이 들었었다.

모두 죽은 것처럼, 이파리 하나 없이 앙상한 가지와 뼈만 남아도, 언제나 겨울의 산은 숨을 쉬고 있었기 때문이다. 도시와 산은 공기부터가 다르다. 사계절 동안 산속의 생명들은 요동친다. 비록 추운 겨울에는 광합성을 하지 못 하더라도, 그 가운데 생명이 살아 숨을 쉬는 것 자체가 아름다웠다.

그와 반대로 사람들은 살아있지만, 언제나 죽은 것처럼 살아갔다. 인간을 동경하고, 또 곁에서 돕는 입장에서도 언제나 그들을 살아있게 만드는 것이 무엇보다 가장 어려운 일이었다. 나무에게 물을 주고, 양분을 주듯 항상 사람을 살아있게 하는 것. 그것은 정말 많은 희생과 노력을 필요로 한다.

"아저씨!"

뒤를 돌아보니, 저 멀리 아까 위로 올려 보냈던 아이 둘이 아파트 입구를 빠져나와 뛰어오고 있었다. 자세히 보니,

남자 아이의 오른 손에는 종이 한 장이 쥐어져 있었다. 분명 그 종이일 것이다.

생각해보니, 전에도 이렇게 누군가 다급한 목소리로 나에게 찾아온 적이 있었다. 그 때도 분명 남자 아이였다.

"아저씨, 죄송해요. 조금만 도와주세요."

따뜻한 봄쯤이었을 것이다. 바닥에 떨어진 벚꽃 때문에, 나는 그날도 지금과 같은 모습을 하고, 아파트 근처에서 빗자루 질을 하고 있었다. 낮은 꽤 따뜻했고, 그야말로 봄은 생명으로 가득 차 있었다.

그때 마침, 정희 씨의 아들이, 자신의 여동생을 등에 업고 나에게 찾아왔었다. 본인도 겁이 났는지 약간 목소리가 상기되어있었다. 그리고 보니 지금은 그 아이가 어떻게 생겼었는지 이제는 잘 기억이 나질 않는다. 워낙 오랜 세월이 흘렀으니까 말이다.

어쨌든 나는 아이를 달래기로 마음먹었다.

"거참. 무슨 일이야."

그러자, 그 녀석이 자신의 몸을 옆으로 살짝 돌려, 등에 업힌 여동생의 오른 쪽 무릎을 보여주었다. 조금 심하게 파여, 무릎에서 피가 흐르고 있었다. 상처가 생각보다 심한 듯했다. 정희 씨의 딸은 한참을 울다가 지쳤는지 어느새 잠들어 있었다.

"어쩌다 이랬어?"

"밖에서 자전거 타다가요. 도와주실 수 있어요? 네?"

"엄마는?"

사실 나는 이미 정희 씨가 시외에 나가 있음을 알고 있었다.

"밖에요. 일이 있다고 했어요."

"그럼 너희 자전거는 어디다 두고 왔지?"

정희 씨의 아들이 몸을 살짝 기울여, 한 손으로 동생을 바치고는, 다른 손으로 어딘가를 가리켰다.

"아무것도 안 보이는데?"

그렇게 내가 되물었다.

"두고 왔어요. 어차피 앞으로 안타려고요. 유진이가 자전거는 무섭다고 싫어해요. 빨간색도 싫다고 하고, 그렇다고 제가 타기에는 너무 작아요."

부잣집 아이들도 아니면서, 동생이 싫다면 기꺼이 버리겠다는 건가.

"이 녀석, 그렇다고 그걸 두고 오면 어떻게 해. 내가 나중에 다른 집에라도 줄까?"

"네. 그래주세요. 저희야 감사드리죠. 아, 그런데,"

아이가 갑자기, 무언가 생각난 듯 멈칫 거렸다.

"바구니가 부서졌어요. 동생이 바구니가 분홍색이라고 좋아했던 건데 생각보다 너무 약하더라고요. 그저 살짝 쓰러진 거였는데."

"그건 내가 알아서 분리하던가 하마."

"아저씨, 어쨌든 감사해요."

그렇게 정희 씨의 아들은 내가 도와줄 수 없다고 판단했는지, 그대로 돌아서 집으로 가려고 했다.

그러나 내가 곧 손을 내밀어, 아이의 왼 팔을 붙잡았다.

"아니, 부탁을 하러왔으면, 치료를 받고 가야할 것 아니야."

나는 그렇게 말하고, 경비실 안으로 둘을 들였었다.

그 아이는 동생이 깰까봐, 완전히 몸을 숙이지는 못하고 가볍게 목례를 했다.

그리고는 정희 씨의 딸을 조용히 내 의자에 앉혔다. 그녀의 아들에게는 저 쪽 소파에 앉아있으라고 말했다.

"여기서 본 건 아무한테도 말하지 마라."

"네? 뭘요?"

정희 씨의 아들이 무슨 영문인지 몰라 나에게 되물었다.

나는 천천히 아이의 무릎에 손을 가져다 댔고, 상처가 조금 씩 아물기 시작했다. 빛이 난다거나 아름다운 광경 같은 것은 아니었다. 그저 원래 갖고 있던 그 모습대로 천천히 돌아가는 것일 뿐.

"아저씨! 방금 어떻게 한 거 에요?"

소파에 앉아 있던 정희 씨의 아들이 뛰어와, 자신의 동생의 무릎을 빤히 바라보았다. 정희 씨의 딸도 아픈 것이 사라지자, 스스로 신기한 모양이다. 아마 이 아이는 자신이 나은 것이 그냥 신기한 약 덕분 정도라고 생각하는 듯했다.

"너도 언젠가는 할 수 있을 거야. 대신 나와의 비밀만 지켜준다면 말이지."

"저도 할 수 있다고요? 아저씨 혹시 의사에요?"

나도 모르게 속으로 웃음이 터졌다. 우스워서가 아니라, 요즘 애들답지 않게 참으로 맑은 느낌이었다.

"그래. 한 때는 말이지. 은퇴하고 여기서 쉬고 있단다."

나는 그렇게 약간의 농담조를 섞어 말했다.

"나도 의사가 하고 싶어요"

아이의 눈이 유난히 강하게 빛이 났다. 너무도 귀여우면서도, 듬직한 모습이었다. 나는 의자에 앉아서는 그 아이의 머리를 쓰다듬었다. 옆에 있는 의자에서는 정희 씨의 딸이

의자를 좌우로 흔들며 장난을 치고 있었다. 의자 밑으로 계속해서 '끼익' 거리는 소리가 들려왔다.

"왜 의사가 하고 싶은데?"

내가 물었다. 물론 나는 이 아이의 미래를 몰랐다. 그건 각자의 담장자만 알고 있는 사실이었으니까.

"할머니도 많이 아프시고요, 동생이 이렇게 다치면 제가 고칠 수 있잖아요. 거기다 사람들도 아주 많이 구할 수 있어요."

아이다운 발상이었지만, 어쩌면 당연한 말이었다. 이런 아이의 말을 함부로 무시하면 안 된다는 것은, 내가 오랜 세월 동안 아주 절실히 배운 교훈 중에 하나였다.

"아저씨는 뭐든지 치료할 수 있어요?"

"그럼 당연하지."

내가 어깨를 바짝 피며 말했다.

"그럼 저희 할머니도 고쳐주세요."

아이의 눈에는 진심이 가득 담겨 있었다. 나는 둘러댈 말을 생각해야했다. 아이가 상처 받지 않도록 하면서, 내가 고치면 안 되는 이유를 설명하고 싶었다. 더구나 그건 내 관할이 아니었으니까 말이다.

"내가 가끔 찾아가서 안 아프시게 도와주도록 하마. 그리고 할머니를 낫게 하는 건 네가 커서 해도 늦지 않아."

우리는 그렇게 경비실에 앉아 이런 저런 이야기를 나누다가, 아이들은 사이좋게 손을 잡고 집으로 돌아갔다. 그 후로, 나는 직접 정희 씨의 어머니와 자주 대화를 나누었다. 그저 그녀의 어머니 담당자에게 맡길 수도 있는 일이었지만, 어차피 나는 대부분의 시간을 정희 씨 주위에 머물러 있었기에 상관없었다. 궁극적으로, 그 아이와의 약속도 있었으니까 말이다.

아이들이 쓰던 빨간 자전거는 나중에 아파트의 맨 위층에 사는 여자 아이에게 선물로 주었다. 그 쪽 담당자 말이, 그 물건이 언젠가 그곳에 사는 아이에게 꼭 필요할 것이라고 했다. 물론 그 일이 무엇인지는 나는 전혀 들은 바가 없었다.

사실 다른 담당자들에게 말한 적은 없지만, 그 물건은 그 여자아이 뿐 아니라, 정희 씨의 딸에게도 필요한 물건이었다. 그것이 언젠가 그녀의 오빠를 기억나게 해줄 매개체 중 하나였기 때문이었다. 물론 그것은 정희 씨의 딸을 담당하는 자로부터 미리 들었던 내용이었다.

우리들의 일은 대부분 그런 식으로 돌아간다. 한 가지 사건은 동시에 많은 사람들을 위한 사건의 시발점이 된다. 모든 것은 서로 연결 되었으니 말이다.

"아저씨. 아저씨."

갑자기 누군가 나의 팔을 잡고 세게 흔들었다. 아이들의 목소리가 들려왔다. 그리고 내 눈앞에는 한 장의 종이가 펄럭이고 있었다.

"도대체 무슨 생각하시는 거예요. 이것 좀 보라고요!"

아까 13층으로 올려 보낸 아이들이었다. 손에는 아까 방에서 발견한 종이가 들려있었다. 남자 아이도 당황한 눈치였지만, 옆에 여자 아이는 거의 울먹거리는 목소리로 나를 졸라댔다.

나는 놀란 척 연기를 하며, 종이를 읽어내려 갔다. 벌써 두 번째 읽는 것이라, 그리 당황하지는 않았다.

종이를 모두 읽은 시늉을 하고, 나는 아이들에게 서둘러 길가로 나가 있으라고 했다. 사람들이 곧 올지도 모른다고 하면서 말이다.

그러자 아이들은 곧 아파트 밖으로 달리기 시작했다.

그런데 아이들이 나가려고 하던 도중 차 한 대가 아파트로 들어오려고 했다. 아이들은 곧 멈춰 섰고, 차 또한 라이트와 시동을 켜놓은 채로 정지했다. 그리고 차는 그 자리에서 잠시 서있더니, 시동을 껐다. 시동과 함께, 앞에 있던 불도 함께 꺼졌다.

곧바로 한 남자가 운전석의 문을 열고 내렸다. 그 남자는 두 아이가 있는 곳으로 다가가, 그 중 남자 아이의 팔을 낚아챘다.

둘 사이에는 실랑이가 벌어졌고, 옆에서 여자아이는 어쩔 줄 몰라 했다. 몇 분을 그러고 있다가, 아이들이 계속해서 뭐라고 자초지종을 설명하자, 그 남자는 아이의 팔을 놓더니 천천히 내게로 걸어왔다.

"안녕하십니까. 죄송하지만, 저희 아들 말이 지금 상황이 위급하다는데 그것이 사실인가요?"

"예. 도와주시면 감사하겠습니다."

그는 훤칠한 키에 중년 남성이었다. 초록색 니트를 입고 있었고, 그의 옷에서는 고기 굽던 냄새 같은 것이 밀려왔다.

"네. 그렇게 하겠습니다. 그리고 곧 구조대원들이 온다고 하더군요. 그럼 아이들 친구라는 아이는 어떻게 하지요?"

"무작정 찾을 수는 없는 노릇이니, 경찰이나 구조대에게 맡겨야 하는데 걱정이네요."

그는 내가 너무도 차분한 말투로 말하는 것이 이상했는지, 당황한 눈으로 나를 바라보았다. 그는 그렇게 잠시 나를 빤히 쳐다보더니, 헛기침을 몇 번 하고는 몸을 돌려 다시 아이들이 있는 곳으로 향했다.

저 멀리서는 여자 아이가 핸드폰을 귀에 대고 이리저리 고개를 돌리고 있었다. 아마 자신의 친구를 찾으려고 하는 것 같았다. 그러다 옆에 있던 남자 아이가 중년 남성이 몰고 온 차에 올라타자, 그 옆에 있던 여자 아이도 곧, 들고 있던 핸드폰을 주머니에 넣고는 함께 그 차에 올라탔다.

다시 창문 하나가 조심스레 열렸다. 그리고 사내아이가 밖으로 얼굴을 내밀었다.

"아저씨! 구조대원 분들 오면, 이쪽으로 안내해서 들어올게요!"

제 3 장

- 이 유 -

1. 유진이의 네 번째 우연

-AM 02:35-

"오늘은 핸드폰이 가만히 있질 않네요. 도대체 연희가 몇 번째 전화하는 건지."

무음으로 바꿔두었던 터라, 내 손위에서는 계속 불빛만이 번쩍 번쩍 거린다. 그렇게 지겹게 울려대던 진동 소리는 이제 더 이상 들리지 않았다. 대신 아파트 아래는 이래저래 시끄러운 목소리로 가득했다. 잘못했다가는 그 목소리가 이 동네 사람들을 전부 깨울 것만 같았다. 나는 옥상에 쭈그리고 앉아, 바닥에 고인 웅덩이를 바라보다가, 다시 번쩍 거리는 핸드폰을 번갈아 보았다.

옆을 돌아보니 그는 옥상 난간에 옆으로 비스듬히 기대서서 유유히 아파트 아래를 구경하고 있었다. 무언가 재미있었는지, 가끔 혼자 키득키득 웃기도 했다. 그리고 젖어버린 라이터로 조금이나마 손을 녹이고 이려고 이래저래 용을 쓰고 있었다.

"그냥 꺼버리지 그래?"

그의 말에 내가 약간 당황한 기색을 보이자, 그는 곧바로 나를 쳐다보며 피식하고 웃었다.

"왜? 차마 *끄고* 싶진 않은 건가?"

"아, 아니, 그, 그게 아니라요."

나는 손을 절레절레 저었다.

이상했다. 그러고 보니, 나는 그 많은 시간 동안 한 번도 핸드폰을 꺼두어야겠다고 생각한 적이 없었다. 어쩌면 정말로 *끄고* 싶지 않았던 것인지도 모르겠다.

그는 아파트 아래를 구경하다 말고, 몸을 돌려 등을 난간에 기대고는 크게 기지개를 켰다. 그리고 곧 나를 보며 말했다.

"자, 여기서 우리 참 이런 저런 이야기 많이 했잖아. 실없는 농담도 계속 주고받았고 말이야."

"그렇죠?"

"근데 학생, 이제 나는 슬슬 진짜 이유가 듣고 싶어."

"진짜 이유라뇨?"

나는 당황스러웠다. 갑자기 진짜 이유라니.

"학생. 다 알고 있어. 아직 전부 이야기 안한 거 말이야. 콜록, 콜록."

그는 여전히 팔 장을 끼고 난간에 기대어 있었다.

"그런 거 없어요."

나는 옥상 바닥에 고인 웅덩이를 쳐다보며, 고개를 저었다. 바닥에 빗물에 모여 생긴 웅덩이에는 내 얼굴과 그리고 은은한 달빛이 반사 되고 있었다. 물에 비친 모습을 보니, 비에 젖은 머리는 이리 저리 헝클어져 있었다. 그리고 내 앞머리에서 떨어진 물 한 방울이 웅덩이위로 떨어져서는, 곧 여러 개의 동심원을 만들며 퍼져나갔다.

"정말로 없어?"

"어. 정말 없다고."

엄마가 물었다. 그리고 나는 그냥 퉁명스럽게 대답했다. 나는 젖은 머리를 귀 뒤로 쓸어 넘겼다. 손끝에서 차가운 물이 흘러내렸다. 그 중에 몇 방울이 바닥으로 떨어졌다.

나는 학원이 끝나고 뒤늦게 쏟아진 비로 집까지 뛰어와야만 했다. 아침에 학교에 가면서, 우산을 안 챙겨 나갔기 때문이었다. 교복이 잔뜩 젖어, 너무도 추웠다. 거실에 바닥에는 흥건히 물이 떨어져 있었다. 발이 불어버린 것 같아, 양말을 벗고 싶었으나, 지금은 그럴 만한 상황이 아니었다.

"보통은 성적표 바로 주지 않아?"

엄마가 다시 캐물었다.

"엄마, 일 끝나고 이제 와놓고는 피곤하지도 않아? 꼭 지금 그걸 물어봐야겠어?"

나는 너무도 짜증이 났다. 비를 맞아가며 집에 돌아온 나에게 왜 젖었는지, 몸은 괜찮은지, 그런 것 정도는 물어봐줄 수 있지 않을까 생각했다.

"얘는 어디서 말대답이야?"

엄마의 그런 호통에도, 나는 가방 속에 숨겨 놓은 성적표를 들킬까봐, 당장 다른 화제로 돌리고 싶었다. 평소에는 너무도 나를 잘 챙겨주고 걱정해주지만, 이런 순간만큼은 정말 같이 있고 싶지 않았다.

"너 엄마가 의대 가려면 열심히 해야 한다고 했지?"

그 말에 다시 한 번 울컥했다.

'그 놈의 의대, 의대. 맨 날 지긋지긋해.'

마음속으로 중얼거려본다.

"너 계속 그렇게 엄마 노려 볼 거야?"

나도 알고 있었다. 평소에는 한 없이 좋은 엄마라는 것을 말이다. 하지만 이제 공부만큼은 관여하지 않았으면 좋겠다.

나는 그냥 몸을 돌려, 방에 들어갔다. 뒤에서 엄마가 무어라 고함을 질렀지만, 그냥 무시하기로 했다.

방에 들어가, 문을 잠그고, 바닥에 가방을 던졌다. 물이 뚝뚝 떨어지는 양말을 벽 한쪽에 벗어던지고, 침대 위로 올라가, 이불 속에 얼굴을 파묻었다. 그리고는 그 속에서 혼자 괴성을 질렀다. 그리고 이불 속에서 몸을 파르르 떨었다. 머리의 물기가 몸에 차가움을 그대로 전해주고 있었다.

'쿵! 쿵!'

엄마가 방문을 두드렸지만, 나는 이불 속에서 나오지 않았다.

문 밖에서는 여전히 엄마가 일방적으로 말하고 있었다.

"오빠는 매일 의대가고 싶다고 노래를 불렀었어. 알아?"

순간, 나는 머리를 세게 한 대 맞은 기분이었다. 당장에라도 뛰쳐나가 머리를 쥐어 잡고 싸우고 싶었다.

'그건 오빠잖아. 내가 아니라고. 아직도 모르겠어?'

흐르는 눈물을 닦으며, 옆에 있던 베개를 문을 향해 던졌다. 그리고 힘껏 소리쳤지만, 문 밖은 이미 조용했다. 아마자기 방으로 돌아간 듯 했다. 베개가 맥없이 문에 튕겨져 땅으로 굴러 떨어졌다. 나에겐 오히려, 엄마가 더 이상 일할 힘도 없어서, 집안을 난장판으로 만들어 놓았을 때가 편했다. 그 땐 공부할 필요도 없었고, 누군가 매일 와서 밥을 먹여주면, 나는 어디서든 곤히 잠들었다.

울음을 멈추고, 천천히. 몸을 일으켜 침대 위에 앉아 벽에 등을 기댔다. 그리고 멍하니 벽을 보았다.

매번 볼 때마다 느끼는 거였지만, 저 상장들이 과연 나에게 무슨 의미가 있을까 생각해왔다. 도대체 누굴 위하여 저렇게 벽에 걸려있는 걸까.

엄마도 항상 저랬던 것은 아니다. 그저 언제부턴가 나에게 오빠의 삶을 대신 살게 하듯 했다. 항상 먹는 것, 입는 것은 편하게 잘 챙겨주었지만, 진로에 관해서는 언제나 나를 틀 안에 가두려고만 했다.

내가 무엇을 원하는 지, 무엇을 잘하는 지에 대해서는 내가 아주 어릴 적 이후로, 한 번도 물은 적이 없었으니까 말이다. 언제나 난 엄마의 그런 틀에서 벗어나길 원했다. 그저 액자 안에 있는 예전의 상장들처럼 그 안에 갇혀 있고 싶진 않았으니까.

'차라리, 날 죽여. 그리고 그냥 오빠 데려와서 둘이 살아. 나는 갈 테니까.'

나는 계속 혼자 중얼거렸다. 그렇게 생각하는 내 자신이 무서우면서도, 한 편으로는 속 시원했다. 그런 생각을 하고 있는 나는, 적어도 내 자신 그대로였으니까 말이다.

다시, 침대에서 일어났다. 이러 저리 구겨진 이불의 끝을 한손으로 잡고 한쪽 구석으로 던졌다. 내가 앉아 있던 자리는 물에 흠뻑 젖어있었다.

나는 바닥으로 내려와, 젖지 않은 깨끗한 옷으로 갈아입고는, 내팽개쳐놓은 가방을 바로 세웠다. 그리고는 지퍼를 열어 그 속으로 손을 집어넣었다.

'여기 어딘가에 넣어놨는데.'

손을 넣고 한참을 뒤적거리다가, 필통으로 생각되는 물건을 밖으로 들어내자, 손끝에서 작은 네모 모양의 물건이 느껴졌다. 나는 그것을 꺼내, 바로 바지 주머니에 넣었다. 얇은 비닐이 구겨지는 소리가 들렸다.

나는 일어나 첫 번째 책상 서랍을 뒤져서, 촛불을 킬 때 사용했던 성냥갑을 찾았다. 성냥갑 겉에는 술집의 이름 같은 것이 써져 있었다.

방문을 조심스레 열었다. 거실에 누가 있나 확인했지만, 아무도 없었다. 그리고 안방의 문은 굳게 닫혀있었다. 나는 소리 없이 현관으로 향했다. 그러자 다시 안방의 문이 열렸다. 내가 신발을 신는 소리를 들은 엄마가 방문을 열고 나오려고 했다.

현관문을 여는 순간, 뒤에서 무슨 소리가 들려왔지만, 나는 모든 것을 무시한 채, 집밖으로 나왔다. 곧 아파트 계단으로 향했다. 어둡고, 불이 켜지지 않은 아파트 계단에는 유일하게 창문을 통해 빛이 들어오고 있었다.

나는 한 쪽의 창문을 조심스레 열었다. 벽에 살짝 등을 대고 기댔다. 주머니를 뒤적거렸다.

주머니에서 비닐로 둘러 쌓여있던 담배 각을 꺼내, 그 중 한 개비를 꺼내 입에 가져갔다. 곧 거기에 성냥불을 붙여서 는 깊게 숨을 마셨다.

"콜록. 콜록."

바닥에 타버린 성냥과 여전히 불이 붙은 담배 하나가 떨 어졌다. 약한 연기가 피어올랐다. 다시 주울까 고민하다가 나는 그냥 발을 들어, 신발로 지긋이 불을 꺼버렸다.

전날 준호에게서 이제는 금연 좀 하라며 뺏어온 담배였 다. 그런데 그것을 내가 이렇게 물고 있었다는 게 한심하고 어이가 없었다.

허나 내 몸 안에서는 남들과 다르게 특별해지고 싶은 마 음이 붉은 피를 따라 여기저기를 누비고 다녔다. 반항이 아 니라, 그저 갇히고 싶지 않은 마음, 그것이 사람들 사이에 서는 왜 통용되지 않는지 너무도 이해하기 어려웠다.

답답한 마음에, 벽에 기댄 몸을 일으켜, 반 쯤 열려 있던 창문을 활짝 열어 젖혔다.

시원한 공기가 온갖 소리에 섞여 건물 안으로 빨려 들어왔고, 나는 바람에 생각을 맡기기 위해, 천천히 눈을 감았다. 늦은 밤 건물 아래서는, 여기저기 시끌벅적한 사람들의 소리가 건물의 벽을 따라 위로 올라오고 있었다. 저 멀리 도로에서는 밤늦도록 구조 차량들이 지칠 줄 모르고 달리고 있었다.

계속해서 사이렌 소리가 저 먼 곳에서부터, 공기를 뚫고 내게로 들려왔다.

"이 시간에 도대체 왜 온 거지?"

눈을 떠보니, 그가 심각한 표정으로 건물 아래를 바라보고 있었다. 시끄러운 사이렌 소리가 바람을 가르고 옥상까지 전해졌다.

웅덩이 앞에 쪼그리고 몇 분을 앉아있다 보니, 다리가 저려왔다. 나는 옆에 있던 난간을 잡고 조심스레 일어났다. 다리를 몇 번 움직이면서 풀고는, 나도 그가 있는 곳으로 걸어갔다.

사람들이 하나 둘, 모여 웅성대는 소리가 들렸고, 저 멀리 도로에서는 몇 대의 차량들이 언덕을 따라 올라오고 있었다.

"제가 있는 곳은 모를 텐데요."

유서에 장소에 대해서는 아무 것도 남기고 오지 않았다. 그저 몇 마디 인사와 부모님께 바랐던 것들, 그리고 고맙다는 이야기들이었다. 마지막으로 부디, 엄마도 자신을 위해서 살아가라는 말을 남겼었다.

"널 찾으러 온 것 같지는 않는데."

그가 바닥에 떨어진 맥주병들을 주우며 말했다. 그리고 그 중 하나를 달을 향해 대보고는, 그 사이로 새어나오는 빛을 보고 있었다. 아마 그 안에 얼마나 술이 담겨 있는지를 보려고 하는 듯했다.

"그 때 이후로, 그만 드시려고 한 것 아니었어요?"

내가 물었다. 분명 그는 오랜 세월 술로 살아온 것을 후회하는 듯 했으니까.

"모든 것을 잊기 위해, 절대 잊을 수가 없는 게 술이지."

"아저씨."

내가 그를 노려보며 한 마디 하자, 그는 알았다는 듯이 웃어보였다.

"유진 학생, 어차피 남은 술도 없으니, 너무 그러지 마."

갑자기 난간 위에 올려놓은 핸드폰에서 불빛이 번쩍 거렸다. 분명 연희가 보낸 문자였다. 내가 못 본 척 고개를 돌렸다. 그리고 달을 쳐다봤다. 그러자 갑자기 그가 내 핸드폰을 자기 앞에 가져갔다.

"학생, 친구가 그러는데, 학생 어머니가 지금 아파트 엘리베이터에 간히셨다는 군. 거참, 별일이 다 있네."

"네?"

내가 깜짝 놀라 그를 쳐다봤다.

"학생은 어디 있냐고 묻는데?"

나는 핸드폰을 다시 내 앞으로 끌어왔다. 정말이었다. 아무도 다친 것은 아니었지만, 엄마 홀로 엘리베이터에 갇혀 있다고 했다.

"구조대가 그래서 왔나보네요."

내가 차분한 목소리로 말하자, 그가 피식하고 웃어댔다.

"별로 걱정 되지 않나보지?"

"다친 것도 아닌데요, 뭘."

그러자 그가 고개를 끄덕였다.

"어쩌면 우리가 떨어졌을 때, 그 분들이 영안실까지 안전하게 데려다 줄지도 모르겠군."

그가 코웃음을 쳤다. 그리고 마치 즐거운 사람처럼 웃었다.

"아니죠. 어쩌면 들어주는 사람들이 많으니 기회일지도 모르겠어요."

내가 아파트 아래를 내려다보며 말했다. 여기 올라오기 전까지는 오히려 그 이유를 몰랐다. 내가 왜 모든 것을 끝내고 싶은 충동에 사로잡혔었는지 말이다. 아니 스스로 완벽히 알고 있다고 말할 순 없었지만, 처음보다 어느 정도는 이유가 명백해졌다.

"호소하고 다시 제대로 살고 싶은 건가?"

그가 물었다.

"반대에요. 저 같은 사람이 다시는 안 나왔으면 해서요."

내가 비장한 표정을 짓자, 그는 고개를 숙이고 다시 저 아래를 내려다보았다.

"그리고 끝낼 작정이군."

그가 혼자 중얼거렸다. 나는 그에 대해 반박하지 않았다. 그다지 그럴 필요성을 느끼지 않았으니까. 그리고 그것이 결코 틀린 말은 아니었으니까 말이다.

"학생."

그가 하늘을 향해 자신의 팔을 들어 올리더니, 손바닥을 보고 말했다. 마치 그 손에 무슨 사연이 있는 사람처럼.

"네."

"세상이 우리를 돕는다고 생각한 적 있나?"

나는 잠시 고민했다.

"한 번도요. 아니,"

나는 곧 그렇게 말하며 고개를 저었다. 그리고 손가락으로 두 번 이라는 표시를 보여주었다.

"두 번이요."

"어째서?"

그가 이외라는 표정을 지으며 물었다.

"그 두 번 만큼은, 제 주위에 누군가 존재한다는 느낌을 받았어요. 적어도 아주 어릴 적에는 그런 경험을 했으니까요."

그리고 내가 하늘을 보며 웃자, 그는 오히려 애석한 표정을 지었다.

"왜요?"

내가 물었다.

"뭐가?"

"왜 물었냐고요."

"아무것도 아니야. 그냥 항상 궁금했어. 나 말고 다른 사람들은 어떻게 생각하는 지 말이야."

내가 난간에 기대고 있던 양 팔꿈치를 뗐다. 그리고 뒤로 돌아, 난간에 엉덩이를 기대고 섰다. 등 뒤에서 불어오는 바람이 약간은 차갑게 느껴졌다.

"아저씨는 어떻게 생각하는데요?"

내가 물었다.

"나도 두 번."

"네?"

그도 나처럼 손가락을 두 개로 만들어 보여주었다.

"나도 두 번이야."

"그게 언젠데요?"

"한 번은 딸이 태어났을 때, 그리고…."

"그리고요?"

그가 목이 잠긴다는 듯이, 헛기침을 했다. 그의 눈은 보름달을 향했고, 잠시 침묵이 흘렀다. 무언가 그가 말할 것을 기대했지만, 여전히 침묵하실 뿐이었다. 그래서 나는 더욱 졸라댔다.

"그리고요?"

그러자 그는 달에서 눈을 떼고, 나를 쳐다봤다.

"딸이 살아났을 때."

무슨 말인지 영문을 몰라, 내가 그를 쳐다보고 멍하니 서 있는데, 또 다시 난간 위의 핸드폰에서 빛이 새어나왔다. 또 다시 연희의 문자였다.

'유진아, 지금 어디야? 아직 아무 것도 끝나지 않았어. 절

대 혼자 가려고하지마.'

연희의 목소리가 들리는 것은 아니었지만, 그 문자 안에서는 다급함이 그대로 전해졌다.

그 위로는 배터리가 한 칸 남았다는 표시가 있었다. 하루 종일 쓰지도 않은 핸드폰이, 사람들의 계속되는 전화와 문자로 많은 힘을 소모하고 있는 듯했다. 그래서 속으로 생각했다.

'비록 기계지만, 너도 나 때문에 참 고생이 많구나.'

2. 연희의 네 번째 우연

-AM 02:57-

"문자 보냈어?"

민기가 물었다.

"응. 나 이번 달 문자 요금 장난 아니겠다."

그렇게 말하고 있는 내 자신이 한심했다. 허나 나는 계속해서 끔찍한 상상에서 벗어나기 위해 실없는 소리를 해야했다.

"얘들아. 여기서 내려라. 사람들 많으니까 다치지 않게 조심하고. 나는 잠시 저 쪽에 차를 대야겠다."

앞좌석에서 운전하던 민기네 아버지가 말했다.

"그리고 민기 너는 남자니까, 친구 잘 챙겨라."

"네."

차에서 내리자, 우리 뒤에는 몇 대의 구조 차량이 따라들어와 있었다. 그는 다른 골목에 차를 대기 위해 차를 돌렸고, 우리는 구조 차량이 지나 갈 수 있게 아파트 단지 안으로 향했다.

그 사이에 많은 사람이 밖으로 나와, 웅성거렸고, 우리는 그 인파를 뚫고 그 사이로 들어갔다. 곧 우리 뒤를 따라오던 구조대원 한명이 사람들을 통제하고, 길을 넓혔다.

그리고 각 종 기계 장비를 실은 차들이 유진이가 사는 아파트를 향해 들어갔다. 우리도 따라 들어가고 싶었지만, 구조 작업에 방해될 것이 분명했다. 그렇게 우리는 들어가지도 못하고, 밖에서 발만 구르고 있었다.

곧 민기와 나는 사람들을 빠져나와, 주위를 둘러보았다. 화단 근처에는 경찰차 한 대가 서있었고, 그 옆에서는 경비 아저씨가 경찰 아저씨에게 상황을 이야기하고 있는 듯했다.

"유진이 어머니는 괜찮을까? 덜컹 거리는 소리가 몇 번 났다고 하셨는데? 떨어지면 어떻게 하지?"

내가 물었다.

"지금 우리로써는 구조대에게 기대는 방법 밖에는 없을 것 같아."

민기는 그렇게 대답하면서, 아파트 입구를 바라보았다.

저 멀리 아파트 각 층계마다 있는 창문으로 구조대 뛰어 올라가는 모습이 보였다. 매 층마다 잠깐 잠깐 그 모습을 보이다가, 어느 층에선가 더 이상 그 모습이 보이지 않았다.

"그럼 우리는 유진이를 찾아야해."

내가 말했다.

민기는 옆에서 말없이 고개를 끄덕였다. 하지만 우리는
어떻게 할지 몰랐다. 마땅히 유진이가 있을 만한 곳도 생각
이 나지 않았으니까 말이다.

우리는 일단 경찰 아저씨와 경비 아저씨가 서있는 화단으
로 뛰어갔다.

"네. 곧 구해드릴 겁니다. 아이는 최대한 빨리 찾아드릴
테니 너무 걱정하지마세요."

가까이 다가가니, 경찰 아저씨는 누군가와 통화를 하고
있었다. 방금 통화를 마친 모양이었다. 그는 조심스레 핸드
폰을 덮었다. 상황으로 보아, 유진이 어머니에게 전화를 한
듯했다. 전화기가 멀어서 잘 들리지는 않았지만, 마지막에
한 여자가 소리 지르는 듯한 목소리가 들렸었기 때문이었
다. 분명 많이 놀라셨을 것이다.

"아저씨."

내가 경비 아저씨 곁으로 다가가 옷깃을 잡으며 말했다.

"걱정마라. 곧 옆에 계신 분들이 찾아 볼 거다."

경비 아저씨가 차분한 목소리로 말했다. 왠지 그 목소리
에서는 알 수 없는 신뢰가 느껴졌기에, 나도 더 이상은 말
하지 않았다.

그런데 갑자기 경비 아저씨는 나를 향해 살짝 웃어 보였다. 무슨 신호를 주는 것처럼.

그는 곧 뒤를 돌아 경비실 옆에 있는 작은 화단으로 향했다. 이런저런 풀이 수북이 자란 화단이었다. 가을이었지만, 그 위에 있는 것들은 계절에 상관없이 피는 풀인 듯했다.

그 풀들 사이로 화단에는 작은 등이 있었다. 동그란 등 안에서는 노란 불빛이 새어나오고 있었고, 그것이 화단을 더욱 밝혀주고 있었다.

나는 그 뒤에서 그의 이상한 행동을 보고 있었다. 무언가 나에게 이야기하려는 것처럼 보였지만, 나는 그것이 잘 무엇인지 알지 못했다. 옆에서 민기가 계속 말을 하고 있었지만, 그 순간만큼은 잠시 그것조차 들리지 않았다.

몇 분이 지났을까, 곧 나방 한 마리가 나무 위에서 날아왔고, 사뿐히 노란 등 위에 올라앉았다. 재미있는 것은, 그 나방이 몇 번을 스스로 그 등을 향해 몸을 부딪치더니, 금세 포기한 듯 다시 날아올랐다. 그리고는 나에게로 빠르게 날아오는 것이 보였다. 마치 순식간에 나방이 커지는 듯한 착각을 일으켰다.

그것이 내 얼굴을 향해 날아오자, 나는 깜짝 놀라 눈을 감고 얼굴을 숙였다. 옆에서 민기가 무슨 일이냐며 나를 불렀다. 나는 고개를 숙인 채로, 손가락을 들어 나방이 지나간 자리를 가리켰다.

민기는 그쪽을 보았고, 나 또한 다시 고개를 들어 나방이 날아간 쪽을 바라보았다.

그때였다.

저 멀리 아파트 옥상에서 무언가 검은 물체가 하늘거리고 있었다.

'머리카락인가?'

처음에는 귀신인 것처럼 보여서 온몸이 오싹했지만, 이내 내 머릿속에는 오직 한 가지 생각밖에 나질 않았다.

"유진이."

정확히 보이지 않아, 나는 사람들을 헤치며 앞으로 나아갔다. 더 가까이 가야했다. 내 생각이 확실한지 확인해야했다. 민기도 내 느낌을 알아챘는지, 내 뒤에서 따라오고 있었다.

갑자기 눈에서 눈물이 났다. 무서웠다. 정말로 내가 오랫동안 알던 친구가 이 세상에서 살아질 수도 있는 노릇이었다. 하루 종일 긴장했던 것이 한꺼번에 몸 아래로 쏠리면서, 뛰어가고 있는 두 다리가 후들거렸다.

아니, 어쩌면 다행이었다. 지금이라도 찾았으니 말이다.

아직은 시간이 있을지도 몰랐다. 정말로 저게 유진이길 바랐다. 다른 곳에 있다가 뒤늦게 발견되는 것보다는 그것이 나은 길이었으니까 말이다.

가까이 다가갔지만, 이 거리에서 얼굴이 보일리라 만무했다. 내가 손가락으로 옥상을 가리키자, 뒤에 있던 사람들도 하나 둘씩 옥상을 보기 시작했다.

"저, 저기, 사람이 있다!"

누군가 소리쳤다.

뒤에서 들려오는 그 말이, 긴급 상황의 첫 시작을 알렸다. 모두가 일제히 하늘을 올려다보았다. 옥상에서도 그 소리를 들었는지, 곧 우리가 볼 수 없는 어딘가로 사라졌다.

경비 아저씨 옆에 서있던 경찰 아저씨도 놀라서는, 급히 건물 안으로 뛰어 들어갔다. 나도 따라 들어가려고 했지만, 갑자기 경비 아저씨가 우리를 막아섰다. 그리고 지금 당장은 여기서 기다리는 수밖에 없다고 했다.

"아저씨! 제발요!"

무서워졌다. 그렇게 오랜 시간 친구로 지내왔지만, 나는 한 번도 마음을 다해 잘해준 적이 없었다. 이렇게 끝내기에는 무언가 씻을 수 없는 상처가 남을 것 같았다. 아저씨의 팔을 잡고 흔들었지만, 그는 여전히 요지부동이었다.

"아저씨!"

그렇게 민기도 나를 거들었지만, 소용없었다. 우리는 밖에서 그 모습을 지켜 볼 수밖에 말이다.

결국 나는 아파트 입구에서 돌아서서, 몇 계단을 내려왔다. 그리고 사람들이 모여 있는 곳으로 가지 않고, 그곳을 돌아 사람이 드문 곳에 섰다. 그리고 다시 하늘을 보았다. 여전히 옥상에는 아무도 보이지 않았다.

뒤에서는 차량이 들어오는 소리가 들렸다. 멀리서부터 그 차량의 라이트가 우리 주위를 밝히고 있었다. 아파트 벽에 비친 빛과 그림자에는 그 움직이는 빛을 따라, 수많은 사람들과 나무의 그림자가 스쳐 지나가고 있었다. 고개를 돌렸다. 검은 색 차량 한대가 사람들 틈에 끼어서 앞으로 가지 못하고 있었다. 곧 차창이 열리더니, 운전자가 창문 밖으로 얼굴을 내밀었다. 그리고 소리쳤다.

"거기요! 좀 비켜보라고요!"

그의 목소리에는 급한 마음이 고스란히 나타나있었다.

운전자는 이내 포기했는지, 구석에 대충 차를 세워놓고는, 차에서 내려 이쪽을 향해 달리기 시작했다. 차의 시동은 여전히 켜져 있었고, 차 앞에서는 여전히 빛이 퍼지고 있었다.

순간 그 사람이 우리 앞을 지나갈 것 같은 예감이 들어,

나는 몸을 살짝 옆으로 피했다. 그 사람의 몸에서는 짙은 담배 냄새가 배어 있었다. 지나간 자리를 따라 그 냄새가 남아있는 걸 보니, 아마 차안에서 계속 담배를 폈는지도 몰랐다.

곧 내 시선이 그 사람이 지나간 쪽을 향해 움직였다.

"제발요! 내 아내가 저기 있다고! 딸은? 도대체 어떻게 된 거에요? 네? 말을 해달라고요!"

자세히 보니, 그는 자다가 집에서 뛰쳐나온 차림으로 경비 아저씨와 출입구에서 실랑이를 벌이고 있었다. 대화를 듣는 순간, 나는 그 사람이 유진이 아버지임을 알아차렸다. 어쩌면 그 자리에 있던 누가 들어도 그랬을 것이다. 그는 계속해서 소리를 지르고 있었다.

민기와 나는 다시 조심스럽게 그 곳으로 다가갔다.

그리고 우리는 경비 아저씨가 잠시 한 눈을 판 사이, 재빠르게 몸을 숙여 출입구 안쪽으로 들어갔다. 우리가 들어가는 순간, 뒤에서는 유진이 아버지가 더욱 격렬하게 경비 아저씨를 밀어내려고 하고 있었다.

우리는 매우 빠르게 안으로 들어왔고, 나는 곧 계단을 오르기 위해 몸을 돌렸다. 그 순간 아주 잠깐이었지만, 나는 경비 아저씨가 우리를 향해 웃고 있는 것을 보았다.

섬뜩할 정도였다.

'저 아저씨는 도대체 무슨 생각인거지?'

민기는 나보다 빠르게 2계단 씩 오르기 시작했고, 우리가 3층 정도를 오르자, 나는 곧 내 뒤를 따라오는 누군가의 발소리가 들을 수 있었다.

나는 잠시 계단 옆 손잡이를 잡은 채로 아래를 내려다보았다. 아무래도 유진이 아버지가 경비 아저씨를 뿌리치고 안으로 들어온 듯했다. 나는 순간 위압감을 느껴, 몸을 옆으로 피했다. 다시 한 번 바람을 타고, 진한 담배 냄새가 코를 자극했다.

앞서가던 민기도 뒤를 돌아 내가 있는 곳을 확인하더니, 걸음을 멈추었다. 그리고 벽으로 몸을 붙여서는, 아저씨가 자신을 지나가게 두었다.

"누군지 알아?"

민기가 잠시 이마에 맺힌 땀을 닦으며 내게 물었다.

"응. 유진이 아버지."

"정말?"

민기는 신기한 듯, 그 아저씨가 지나간 곳을 바라보고 있었다.

"응. 아까 입구에서 못 들었어?"

내가 대답했다. 우리는 다시 천천히 계단을 오르기 시작했다. 나도 그 뒤를 따라가기 시작했다. 하지만 오늘 하루 종일 몸이 힘들었는지, 더 이상 뛰어 올라가는 것은 무리라고 생각했다.

잠시 계단 위에 서서 나는 숨을 고르기로 했다.

언젠가 유진이의 아버지가 다른 여자 때문에 집을 나갔다는 이야기를 들은 적이 있었다. 유진이의 집안에 대해서 더 말하면, 혹시 유진이가 마음에 상처를 입지 않을까봐 난 그 이상 자세히 묻지 않았었다. 어차피 중요한 것은 유진이가 그것을 극복하고 잘 지내는가 아니면 그렇지 못한가에 달린 것이었으니까.

하지만 유진이는 처음 어머니로부터 진실을 듣고, 그 모든 것을 너무 담담하게 받아들이는 듯했었다. 아니, 사실은 그런 척하고 있었다. 나에게조차 심하게 자기 방어적인 태도를 하고 있었으니까 말이다.

"걱정 안 돼?"

내가 그렇게 묻자, 유진이는 두 번 고개를 저었다.

"별로."

아마도 그날, 우리는 학교 근처 패스트 푸드 점에 앉아,

아이스크림을 하나 씩 손에 들고 있었다. 꽤 더운 여름이었고, 우리 모두 이마에는 땀이 송골송골 맺혀있었다. 하늘에서는 우리를 향해 환하게 웃고 있던 해가 그 더위를 증명해주고 있었다. 우리는 중학생이었다. 검은색과 초록색이 뒤섞인 교복을 입고 있었다.

유진이에게 처음 그 소식을 듣고, 내가 해줄 수 있는 것은 그리 많지 않았다. 오직 동네에서 평소에 유진이가 좋아하던 아이스크림을 하나 사주는 것뿐이었다. 유진이는 내 앞에서 그 이야기를 별로 하고 싶어 하는 것 같지 않았지만, 나는 계속 위로 해주고 싶어 했었다.

"어째서?"

내가 물었다. 너무도 담담한 유진이 태도에 놀라서였다.

"차라리 잘 됐어."

그 말을 듣는 순간 몸에서 소름이 돋았다. 유진이의 표정에는 극도의 차가움이 서려있었다. 아마 지칠 대로 지쳐 어둠조차 보이지 않았다.

"왜?"

"시끄러운 사람 하나가 사라진 거니까."

한 때는 책에 대해 이야기하고, 기적에 대해 이야기하던 우리의 모습은 이미 그 자리에 없었다. 그렇게 잠시 둘 사이에 침묵이 흘렀다.

뒤에서는 사람들이 차례차례 줄을 서서, 벽에 걸린 메뉴를 보면서 서로 대화를 나누며, 주문을 하고 있었다. 그리고 직원들은 바쁘게 계산을 하고 음식을 포장하고 있었다.

"너 많이 변했어."

내가 먼저 침묵을 깼다.

"뭐가?"

곧 유진이는 나를 보며 의외라는 표정을 지었다.

"아니, 아무것도 아니야."

나는 그냥, 포기하는 심정으로 옆에 있는 유리 밖을 보면서 한 숨을 쉬었다. 커다란 유리 밖에서는 커플들이 웃으며 팔짱을 끼고 지나가고 있었다. 그리고 그 뒤에서는 한 부부가 어린 아이의 손을 잡고 지나가고 있었다. 아기는 아직 이제 막 걷기 시작한 듯, 걸음이 불안해보였다. 허나 양손을 부모님에게 의지 한 채, 걷는 모습이 너무 귀여워서 나도 모르게 아이를 넋 놓고 보고 있었다.

"변한 거 아니야."

갑자기 유진이가 말했다.

"응?"

나는 아이를 보던 눈을 돌려, 다시 유진이를 쳐다보았다.

"내가 변한 게 아니야."

그리고 유진이가 고개를 저었다.

"그럼?"

"세상이 변한 걸 거야."

나는 더 이상 아무 말도 하지 않았다. 유진이가 겪었을 모든 고통에 대해서 나는 잘 알지 못했으니까 그런 것도 있었다. 어찌되었든, 유진이에게 더 이상의 조언은 필요 없을 것만 같았다.

"하늘은 나를 돕지 않아. 오히려 필요 없는 순간에만 존재하는 것 같아."

유진이가 다시 말을 이었다.

"무슨 말이야?"

"막상, 내가 원할 때는 내 옆에는 아무 기적도 존재하지 않는 것 같이 느껴져."

나는 잠시 고민했다. 나는 더 이상, 내 이야기를 어떻게 전해야할지 몰랐다. 오랫동안 괴로운 일들로 굳어져버린 생각에 뜨거운 물을 붓는 것과 같은 한 마디가 필요했다.

"그런데 그 도움이 필요한 순간이라는 건, 도대체 누가 판단하는 걸까?"

내가 다시 입을 열었다.

그러자, 유진이는 잠시 고민하는 눈치였다.

"아마, 내가…."

허나 유진이는 더 이상 말을 잇지 못했다. 본인도 차마 그것은 아니라고 생각하는 듯했다.

"어려운 사람들은 언제나 도움을 필요로 해. 허나 도움을 주는 순간들은 언제나 한정 되어 있어. 도움을 주는 그 순간을 결정하는 것이 어쩌면 우리들이고 말이야."

하지만 그런 이야기를 떠들고 있는 내 자신도, 정작 아무것도 실천하고 살아온 것이 없었기에 부끄러워졌다. 마치 내가 좋아하는 책 어디선가 본 구절 중에 하나인 듯했다. 어디서 봤는지는 기억나지 않았지만 말이다.

'매일 학교에서 엎드려 잠만 자면서, 설교는 무슨.'

유진이는 가만히 내 얘기를 듣더니, 고개를 숙이고 핸드폰을 보았다. 테이블 위에는 먹다 남은 아이스크림의 과자 부위가 남아 있었다. 그 주위로는 부스러기가 흩어져있었고, 유진이는 옆에 있던 냅킨을 가져다, 그것들을 쓸어 쟁반 위에 담았다.

"결국 도와주는 사람 맘이라는 거네."

그 말을 들은, 내가 어이없다는 듯이 웃었다. 틀린 말은 아니었지만, 무언가 그 안에는 가시가 있었기 때문이었다.

그런데 유진이가 자신의 손가락을 들어, 자신이 쓸어 담아 놓은 부스러기를 가리켰다. 그곳에는 꽤 적은 양이 모여, 자그마한 덩어리처럼 쌓여 있었다. 그리고 살짝 웃으며 말했다.

"그리고 그것들이 모여 이렇게 된다는 거고."

나도 그 말을 듣고 고개를 끄덕였다. 어느 샌가 유진이의 표정이 조금은 밝아졌음을 알 수 있었다.

곧 테이블 위에 올려놓은 유진이의 핸드폰이 요란한 소리를 내며 진동했다. 핸드폰이 마치 살아있는 듯이, 테이블을 펄쩍펄쩍 뛰어다니며, 옆으로 미끄러져 움직이고 있었다. 그러자 유진이가 조심스레 핸드폰을 들어, 귀에 가져다대며 말했다.

"왜?"

3. 정희 씨의 네 번째 우연

-AM 03:24-

"유진아! 지금 옥상 이라며! 엄마가 얼마나 걱정한 줄 알아?"

"미안. 난 이제 더 이상 할 말이 없어."

유진이의 말에 가슴이 아파왔다. 나에겐 아직 너무도 할 말이 많았다. 엘리베이터 밖에서는 구조대원들이 이래저래 소리치고 있었고, 계속해서 시끄러운 소리가 들려왔다. 경비 아저씨 말이 보통은 위층 문을 열고 들어와 사람을 엘리베이터 위쪽으로 구조하면 된다고 했다. 그런데 이상하게 위층 문이 열리지 않아서 구조대원들이 애를 먹고 있다고 했다. 마치 누군가가 문을 잠가놓은 것처럼 말이다.

"유진아 제발, 지금 뭐하려는 거야? 응? 이제 엄마랑 얘기 좀 하자. 응?"

나는 한 쪽 귀를 막고, 다른 한손으로는 핸드폰을 든 채로 계속 해서 유진이에게 사정했다. 허나 내 말에는 별로 관심이 없는 듯 했다.

엘리베이터 안에서 탁한 공기가 느껴졌다. 마치 쇠가 갈리는 듯한 냄새가 속을 메스껍게 했다. 밖에서는 시끄럽고 요란한 소리들이 들려왔다.

"엄마는 할 만큼 했어. 나도 해야 할 일을 하는 거야."

"도대체 무슨 말이야. 유진아. 응?"

잠시 동안 핸드폰에서 아무 말도 들리지 않았다. 딸의 목소리 대신 핸드폰 너머로 약한 바람 소리만이 그 허전함을 채우고 있었다. 천장의 등은 계속해서 깜빡 거리고 있었다.

"서로 너무 힘들었잖아. 이제 그만 하고 싶어졌어."

"엄마는 네가 없으면, 힘들 것 같아. 내 마음 알지? 이제 진정하고 집에 가자. 엄마 곧 있으면 여기서 나갈 수 있어. 바로 갈 테니까 기다려. 알았지?"

전화 너머로 잠시 침묵이 흐르더니, 두꺼운 쇠문이 강하게 닫히는 소리가 들려왔다.

"유진아, 무슨 소리야?"

그러자, 갑자기 유진이는 약간은 울먹이는 목소리로 말했다.

"이, 이제 오빠가 보고 싶어."

여태껏 내게는 그런 말 한적 한 번 없는 언제나 조용한 딸이었다. 순간 더욱 커다란 불안함이 내 몸을 휘감았다.

나는 놀라 소리쳤다.

"안, 안 돼!"

"아무래도 누가 오는 것 같아. 문을 잠가야겠어."

그렇게 유진이가 단호한 목소리로 말했다.

"안 돼! 유진아, 널 구해줄 사람들이야!"

나는 아무도 없는 허공에 손을 뻗으며, 핸드폰을 향해 그렇게 소리치고 있었다.

더 이상 유진이의 대답이 들리지 않은 채 잠잠해지자, 나는 핸드폰 액정을 확인했다. 통화가 종료 된 채로, 통화 시간만이 화면 위에 깜빡 거리고 있었다. 나는 다시 통화 버튼을 눌렀다. 신호를 기다리고, 끊고를 몇 번씩 반복 해봤지만 유진이로부터는 여전히 대답이 없었다.

손이 떨려왔다. 현기증이 나고, 어느새 두 눈에서는 눈물이 주룩 주룩 흐르고 있었다. 몸이 떨리고, 추웠다. 극도로 긴장한 탓일까. 또 하나의 자식을 그냥 그렇게 보낼 수는 없었다.

난 그 날의 기억을 단 한 번도 내 머릿속에서 떠나보낼 수가 없었다. 아니, 그건 앞으로도 평생 잊을 수 없었다. 안에서는 계속해서 쇠가 타들어가는 냄새가 나고 있었다. 아마 비상 탈출구가 잘 열리지 않자, 구조대원들이 날카로운 무언가로 절단을 시도하는 듯했다.

계속해서 톱날이 빠르게 돌아가는 소리가 들려왔다.

엘리베이터 문에 달린 조그만 창문을 통해서 번쩍하는 빛들이 보였다. 문 밖에서는 옅은 연기가 하늘거리고 있었다. 그렇게 그 불꽃들은 점점 커지고 커졌다. 마치 그 날처럼 말이다.

"엄마, 밖이 너무 시끄러워요."

눈을 떠보니 진웅이가 유진이의 손을 잡고 침대 옆에서 나를 바라보고 있었다. 엄마가 돌아가신지 몇 달 정도 지났을 때였다. 평소처럼 남편은 야근으로 늦은 시간까지 회사에 있을 거라고 했다.

그가 야근 너무 잦은 것이 마음에 걸리긴 했었지만, 워낙 유능해서 그렇거니 하고 좋게 생각하려 애쓰고 있었다.

방의 불은 모두 꺼져있었으나, 밤이었지만 창문 밖이 꽤 환하게 느껴졌다. 그 날은 왠지 잠에서 깨는 순간부터, 시끄러운 소리가 들리고 있었고, 무언가 복잡한 느낌이 내 마음을 휘감고 있었다.

진웅이 옆에는 어린 유진이가 베개를 끌어안고 내 침대 옆으로 들어오려고 멀뚱히 서있었다. 나는 그런 딸이 귀여워, 웃으며 딸의 머리를 쓰다듬었다. 그리고는 귀엽고, 통통한 볼 위에 가볍게 뽀뽀를 했다.

"진웅아, 미안한데, 창문 좀 열어볼래? 왜 이렇게 시끄럽지?"

"응. 잠깐만요."

진웅이가 안방의 침대 옆을 돌아, 창문으로 향했다. 미닫이 창문이라, 처음에는 좀 힘겨워하더니 금세 창문을 활 짝 열어 재꼈다.

"엄, 엄마."

뒤에서 진웅이가 무서워하는 목소리가 들려왔다.

어두운 방안은 창 밖에서 들어오는 붉은 빛으로 가득 차올랐다. 나도 침대에서 일어나, 딸의 손을 잡고 창문 가까이로 다가갔다.

그리고 우리는 그곳에 멍하니 서서, 아파트 건너편에 있는 주택이 활활 타오르고 있는 모습을 지켜봤다. 불은 무서웠지만 어쩌면 장관이라고 표현하고 싶을 만큼, 장엄하게 어두운 밤을 밝히고 있었다. 순간, 뒤늦게 소름이 온몸을 타고 기어 다녔다.

"엄, 엄마."

이번엔 딸이 내 다리에 꼭 붙어서는 떨어지지 않았다.

나는 바닥에 몸을 숙여, 유진이에게 말했다.

"아빠 올 때까지, 절대 방에서 나오지 말고, 여기서 오빠랑 기다려? 알았지?"

곧 진웅이에게도 동생을 잘 데리고 기다리라고 했다. 그리고는 자리에서 일어나 장롱을 열었다. 잠옷 위에 얇은 외투를 한 장 걸치고 거실로 나왔다. 아이들은 내가 나가는 모습을 지켜보며, 걱정스러운 표정을 지었다. 나는 최대한 자연스럽게 아이들을 향해, 한 번 웃어보이고는 현관문을 열었다.

마침, 앞집에 사는 여자도 두꺼운 점퍼 하나를 걸치고 문을 열고 나왔다. 우리는 내려가는 버튼을 누르고, 서로 가볍게 인사를 했다. 말은 하지 않았지만, 두 사람 모두 두려움에 사로 잡혀 있었다. 그리고 잠시 후 문이 열리자, 함께 그 안으로 들어갔다.

엘리베이터 안에 서서 나는 빨간 숫자가 1층이 되기만을 기다렸다. 그리고 속으로는 계속 그 장엄한 광경을 떠올렸다. 여전히 머릿속에서 떠나질 않았다.

'만약 그것이 우리 집이었다면…'

나는 속으로 그렇게 생각했다.

옆에서는 앞집의 여자가 무엇이라고 재잘거리고 있었지

만, 나는 고객만 끄떡이며 간단히 대답하고 있을 뿐이었다. 무슨 대화가 오갔는지는 잘 기억이 나지 않았다. 그저 머릿속에서는 커다란 불이 타오르고 있었다.

엘리베이터가 열리고, 나는 빛이 보이는 아파트 현관으로 향했다. 유리문을 밀어 밖으로 나가자, 많은 사람들이 불이 타오르는 모습을 지켜보고 있었고, 건너편 주택에서는 뜨거운 열기와 그리고 시커먼 연기가 하늘로 솟고 있었다. 내가 현관 앞의 낮은 계단을 뛰어 내려와서는, 앞에 서있는 노인에게 다가가 물었다.

"저기요, 할아버지. 혹시 소방차는요?"

"아직, 못 온 모양이야. 불이 시작된 진 얼마 안 되었다는 데, 너무 순식간에 번져서 큰일이야."

그렇게 모두가 멀뚱히 서서, 불이 타오르는 것을 바라볼 뿐이었다. 누구 한명 물을 떠오거나, 움직이지 않고 있었다.

그런데 사람들이 모여 있는 곳 가운데에서는 어떤 젊은 여자가 땅 바닥에 넙죽 엎드려 통곡하는 듯했다.

"우리 딸! 우리 딸! 어찌하라고! 누가 좀 도와주세요! 네?"

딸이라는 말에, 잠시 유진이가 생각나 소름이 돋았지만, 이내 내 딸은 그럴 리가 없다는 것을 깨닫고 안심을 했다.

그러면서도 한 편으로는 내 딸이 안전하다는 이유로 나는 이렇게 마음이 편하다는 것이, 스스로 어떠한 죄책감을 느끼게도 했다.

그 젊은 여자는 주위 사람들을 붙잡고 사정했지만, 사람들은 전부 지금은 위험하니, 소방차가 오기를 기다리라고 말할 뿐이었다. 당연했다. 자신의 가족이 아닌 이상, 그 불구덩이를 향해 뛰어들 사람은 많지 않았으니 말이다.

그때였다.

나는 사람들 사이를 뚫고 건너편 아파트를 향해 뛰어가는 작은 무언가를 보았다. 사람들은 차례차례 무언가가 자신을 뒤에서 밀어낼 때마다, 깜짝 놀란 듯 아래를 내려다보았다.

그 순간, 나는 불안한 기운이 나를 감싸고 있음을 느꼈다. 마음이 나에게 끊임없이 외치고 있었다.

'너도 결코 안전하진 않아.'

나도 정신을 차리고, 사람들을 헤집으며 앞으로 나아가기 시작했다. 그 작은 무언가를 따라서 말이다.

한 사람, 한 사람을 뚫고 나아갈 때마다 그 형체가 더욱 뚜렷이 보이기 시작했다. 불이 이곳을 더욱 환하게 밝혀주고 있었으니까 말이다.

"빨리 막아!"

그렇게 뒤에서 한 사람이 외쳤다. 몇몇 사람들이 무언가에 홀린 듯 서 있다가, 하나, 둘, 내 팔을 잡기 시작했다.

"저기 꼬마 아이다!"

사람들이 소리치는 소리가 들려왔다. 그리고 나는 누군가에 의해 잡힌 채로, 아이가 불타는 건물 안으로 뛰어 들어가는 모습을 보아야했다. 사람들은 그 이상 가까이 가기를 원하지 않았다. 나는 사람들을 뿌리치려고 발버둥 쳤고, 사람들은 나를 놓아주지 않았다.

"진웅아! 도대체 너희가 뭔데 나를 붙잡아! 이 자식들아! 놓으라고! 우리 아들 데려와야 한다고!"

나는 계속해서 비명을 질러댔다. 비명을 지르다가 현기증이 나듯 어지러웠다. 옆에서는 소방차가 도착해, 사람들이 비껴나고, 서서히 물이 분사되기 시작했다. 모든 것이 너무 순식간에 일어난 일이라, 그저 꿈이길 원했다.

나는 여전히 바닥에 주저앉아 소리 지르며, 울고 있었다. 비명을 지르다가, 어지러워서 더 이상 아무 소리도 나오지 않았다.

그리고 결국 옆에 있는 화단에 내 안에 있는 것들을 게워냈다. 속이 메스꺼웠다.

몇 분후, 한 소방관이 두 아이를 안고 뛰어 나왔다. 둘

다 의식이 없는 듯했다. 나는 너무 놀라, 간신히 몸을 일으켜 그곳으로 뛰어갔다. 위에서는 여전히 물과 연기 그리고 불이 뒤범벅되어 하늘에 흩뿌려지고 있었다.

우리 어린 아들 품에는 또 다른 여자 아이가 있었다. 마치 우리 딸과 비슷한 또래의 아이였다. 그리고 그 무엇보다 가장 먼저 보였던 것은, 진웅이의 얼굴과 팔 그리고 다리에 있던 화상들이었다.

또 몸과 얼굴 여기저기가 검게 그을린 듯이 보였다. 아들이 행여나 아플까봐 마음대로 끌어안지도 못한 채, 나는 후들거리는 다리로 소방관의 뒤만 쫓아갈 뿐이었다.

눈물만 쏟아질 뿐, 더 이상의 비명도 나오지 않았다. 나는 우리 아이가 죽었는지 살았는지, 알지 못해 계속해서 울어댔다. 곧 구조대원들이 몰려와 두 아이를 서로 다른 구급차에 태웠다.

"여자 아이는 다행히, 남자 아이가 어느 정도 보호한 듯합니다. 하지만 숨을 쉬기 상당히 힘든 상태고, 양팔에 화상이 있습니다. 남자 아이는 얼굴과 온 몸에 화상이 심합니다. 상태가 매우 안 좋습니다. 목숨이 위험할 수도 있습니다. 빠른 응급조치 부탁합니다."

소방관이 아이들을 각각 차에 태우며 다른 대원들에게 그렇게 말했다. 그리고 다른 한 대원이 나에게 뛰어오며 물었다.

"보호자 되십니까?! 빨리 차에 타시죠!"

얼떨결에 나는 차에 올라탔다.

진웅이의 몸과 얼굴에서는 벌건 물집들이 올라오기 시작했다. 아들의 손을 잡고 싶었지만, 행여나 아들이 아파할까봐, 그러지 못한 채로 나는 구석에 웅크리고 앉았다. 그리고 아들을 치료하는 구급대원을 멍하니 바라보고 있었다.

나는 구급차에 올라앉는 순간부터, 그저 다른 모든 생각들은 잊어버렸다. 궁금한 건 아이가 다시 살아서 나를 볼 수 있는가, 아니면 그대로 떠나버리는 가였다.

눈물이 마르질 않았다. 처음 일어났을 때, 아예 집을 나오지 말았어야 했다. 진웅이가 집에 있도록 그저 내가 붙잡고 있어야했다. 지금 일어난 모든 것이 내 책임이었다.

하지만 매일 같이 야근하던 남편조차도 원망스러웠다. 나를 붙잡았던 주민들도. 오늘 같은 날, 우리 집 건너편 아파트에 불을 내버린 이 세상조차도. 처음 이 동네로 이사를 하자고 했던 나조차도. 모든 것이 원망스러웠다. 이 아이는 그저 아무 잘못도 없는 착한 아이일 뿐이었는데 말이다. 세상은 나를 데려갔어야 했다.

언제나 의사가 되고 싶다고, 사람들을 구하고 싶다고 말하던 아이였다. 그러니 나보다 훨씬 많은 일을 할 수 있는 아이였다.

'이 아이에 무슨 일이라도 생기면, 절대 신 따위 용서하진 못할 거야.'

난 그렇게 하늘을 보며 속으로 중얼거렸었다.

구급차의 뒷문에서는 한 방울, 한 방울 비가 내리고 있었다. 점점 빗줄기는 거세졌고, 어느새 차 천장에서는 빗물이 흐르고 흘러, 차창을 따라 내려가고 있었다.

갑자기 천장에서 들려오는 사이렌 소리를 뚫고 겉옷 주머니에서 요란한 벨소리가 들려왔다. 얼마 전 진웅이가 직접 골라준 음악이었다. 핸드폰을 꺼내 확인해보니, 남편이었다. 생각해보니, 나는 남편에게 전화해야 한다는 것을 까맣게 잊어버리고 있었다. 나는 잠시 훌쩍거림을 잠시 멈추고, 핸드폰을 열었다.

"당신은 괜찮아?! 우리 진웅이는?! 괜찮아? 어?!"

전화 너머로 남편이 다급한 목소리로 말했다.

"여, 여보. 나 너무 무서워. 진, 진웅이 어찌되면 어떡하지?"

나는 눈물이 멈추지 않았다. 오히려 남편의 목소리에서

위안을 얻었는지 더욱더 눈물이 쏟아졌다. 그리고 나는 뒤늦게야 집에 두고 온 유진이가 생각났다. 지금까지 진웅이가 다친 것 때문에, 미처 유진이를 생각하지 못했었다.

"아! 맞다! 당신, 유진이는?"

내가 물었다.

4. 그들의 계획

-AM 03:35-

"유진이가 도저히 문을 열어주질 않아. 문이 안에서 잠겨 버려서 아무것도 못하고 있어. 아무래도 기계 장비가 필요하다는 데? 당신은 좀 어때? 다치진 않았고?"

'쿵! 쿵!'

정희 씨의 전 남편이 굳게 잠겨 진 문을 향해 자신의 몸을 부딪치고 있었다. 물론 그것이 소용없음을 문 앞에 있는 우리 모두가 알고 있었다. 옆에 있던 경찰도 무전기로 구조대에게 기계 장비에 요청을 보내고 있었다.

"당신은 일단, 거기서 나오는 거나 걱정해. 이쪽은 다른 사람들이 있으니까."

정희 씨의 남편의 변한 태도를 보며, 나는 아무도 보지 못하게 살며시 웃고 있었다. 이런 순간마다 우리는 보람을 느끼곤 한다. 사람들이 한없이 괴롭고, 힘들어하는 그런 순간에도 말이다.

나는 아이들과 또 정희 씨의 남편이 올라가도록 허락했었다. 결국 일부러 시간을 끈 것이었으니까, 애초부터 끝까지 막을 생각은 없었다.

"보통 이런 곳은 건물 안에서 잠그게 되어 있는 것으로 아는데, 좀 이상하네요."

앞에 있던 경찰이 무언가 마음에 안 든다는 듯이 투덜댔다.

"경비 아저씨, 여기 열 수 있는 방법 따로 없어요?"

옆에 있던 남자 아이가 나를 보며 물었다.

"그런 게 있었으면, 나도 진작 열었겠지. 이거 큰일 났군."

그렇게 대답하며, 나는 계단 아래를 내려다보았다. 자전거 옆에 여자 아이는 계단위에 주저앉아, 자신의 핸드폰만을 멍하니 쳐다보고 있었다. 나는 아마 그 아이가 자신이 지금 할 수 있는 것에 집중하는 것 일거라 생각했다.

'터 벅. 터 벅.'

갑자기 누군가 계단을 오르는 발자국 소리가 들려왔다.

'터 벅. 터 벅.'

점점 발소리가 가까워졌다. 여전히 경찰과 정희 씨의 남편은 굳게 잠긴 문과 씨름하고 있었다.

발소리가 우리에게 완전히 가까워지자, 여자 아이가 벌떡 일어나 그 쪽으로 인사했다.

자세히 보니, 아까 차를 몰고 구조대를 데리고 왔던 중년 남자였다. 전보다는 덜했지만, 여전히 그에게서는 약한 고기 굽는 냄새가 났다. 좁은 공간이라, 그 냄새가 더 잘 전해지기도 했다.

"헉, 헉. 민기야. 일, 일은 어떻게 되어 가냐, 친구는?"

그의 숨소리 꽤 거칠었다. 숨이 넘어갈 듯 보였고, 얼굴이 빨개져 있었다. 그리고 그의 땀이 온 몸을 적신듯했다.

"아빠. 친구가 아직 옥상에 있는데, 문이 잠겼어요."

난 이 상황을 지켜보며, 속으로 하늘의 운명이란 참으로 신비함을 감탄하고 있었다. 내가 하는 것은 그저 돌아가는 상황을 지켜보는 것일 뿐, 직접 적으로 행하는 것이라고는 틀어진 일들을 바로 잡는 것 정도였다.

"여기에 민간인이 너무 많습니다. 아무래도 조금 있다가 구조대의 자리를 확보하기 위해서 성인 몇 분만 남아계시고, 전부 자리를 비워주셔야겠습니다."

옆에 있던 경찰이 우리들을 보며 말했다.

"일단 아이들을 위해 제가 20층 주민에게 양해를 구하겠습니다."

나는 아이들이 잠시 있을 곳을 마련하기 위해 계단을 내려갔다. 20층의 문을 두드렸다. 곧 문이 열렸고, 안에서 나온 주민은 나오자마자 무슨 일인데 이리도 시끄럽냐며 나에게 화를 냈다.

하지만 곧 내가 사정을 이야기하며 양해를 구했다. 그러자 표정이 금세 바뀌어서는 얼른 아이들을 들여보내라며, 나에게 죄송하다는 말을 몇 번이고 했다.

"전 그냥 남으면 안 될까요?"

안으로 들어가다 말고, 여자 아이가 나를 쳐다보며 말했다.

"친구가 걱정 되는 건 알겠는데, 아저씨가 위에 있는 문이 열리면 바로 말해주마."

"네. 알았어요. 고마워요."

20층에 사는 주민은 친절하게 부엌에서 물 한잔씩을 아이들에게 쥐어주며, 서서히 현관문을 닫았다. 발길이 잘 떨어지지 않는지, 여자 아이는 닫히는 문틈으로 나를 몇 번이고 되돌아봤다.

아마 정희 씨도 전에 그녀의 딸을 보며 그런 적이 있었다. 아마 내가 의사의 모습을 하고 있던 날이었을 것이다. 그 날은 9개월 반 동안 정희 씨의 몸 안에 품고 있던, 여여쁜 딸이 태어나던 날이었다.

"아이가 널 닮았구나."

정희 씨의 갓 태어난 딸을 보며, 정희 씨의 어머니가 한 말이었다. 나는 흰 가운을 입고, 병실 한 쪽 벽에 서서 그녀들을 바라보고 있었다. 정희 씨는 그녀의 딸을 꼭 끌어안고 좋아서 어쩔 줄 몰라 하는 눈치였다.

"엄마. 남편이 들으면 화내. 남자들은 자기 닮았다 그래야 좋아한다니까? 조금 있다가, 남편 오면 그냥 남편 닮았다고 해줘. 알았지? 그래도 뭐, 어쨌든 엄마 말대로 나랑 판박이네. 그렇죠? 선생님도 그리 생각하시죠?"

"네. 따님이 어머님을 닮아 미인이네요."

그리고 더 이상 나는 아무 말도 하지 않았다. 그저 계속 웃고만 있었다.

"그리고 넌 나를 닮았고."

정희 씨의 어머니가 던진 농담이었다. 둘은 서로를 보며, 즐거운 듯 웃고 있었다.

간호사 한 명이 병실로 문을 열고 들어왔다. 그리고 나를 보자, 잠시 이상하다는 눈으로 쳐다봤다. 아마 자신이 잘 모르는 의사가 있었기에 놀랐는지도 모른다. 허나, 다행히 큰 병원이었던 터라 그녀는 크게 신경 쓰지 않는 듯했다. 간호사는 고개를 한 번 갸우뚱하고는, 바로 정희 씨에게 다가가 정희 씨의 딸을 신생아실로 데리고 나가려 했다. 정희 씨는 간호사에게 딸을 넘겨주면서도 끝까지 딸에게서 눈을 떼지 못했다.

"저도 이만 나가보겠습니다."

간호사가 문을 열고 나가자, 그렇게 내가 인사했다.

내가 문을 열고 나가는 동안에도, 정희 씨의 눈은 그녀의 딸이 떠나간 자리에서 떨어지지 않았다. 마치, 다른 사람들은 볼 수 없는 딸의 흔적을 찾은 사람처럼 계속 그 빈자리만 보고 있었다.

나는 문을 살짝 열어두고, 복도에 나와 의자에 앉았다. 그리고 벽에 등을 기대고는, 임산부들이 힘겹게 복도를 걸어 다니는 모습을 지켜보고 있었다.

누군가 그랬다. 자식이란 어머니 몸 안에서 나와 걸어 다니는, 어머니의 마음이라고 말이다.

그 날도 내가 있던 병동에서는 그렇게 많은 생명이 요동치고 있었고, 다른 병동에서는 많은 생명이 죽어가고 있었다. 그것은 인간 세계에서 오랜 세월동안 느낀 크나큰 아이러니였다.

"엄마. 어떻게 해야 우리 딸 잘 키웠다는 소리 듣고 살까?"

살짝 열어놓은 문틈으로 병실에서는 대화 소리가 세어 나왔다. 나는 조용히 눈을 감고, 벽에 몸을 기댄 채 그녀들의 대화를 듣고 있었다.

"얘도 참. 그냥 딸이 하고 싶다는 거 시켜라. 그럼 평생 자랑만 하고 살 거다."

"엄마는, 그런 게 어디 있어. 하하. 요즘 교육열이 얼마나 장난 아닌 데. 여의사 같은 건 어떨까?"

"남들 하는 거 따라하다가 애 망치는 수가 있으니, 아서라."

평범한 모녀간의 대화였다. 아마 정희 씨도 처음 가진 딸이었기에, 의욕이 넘쳤을 것이다.

"망치긴, 나 잘 키울 자신 있어요. 그리고 엄마, 나를 공부 좀 미리 시켜줬으면 오죽 좋아? 제대로 공부안하고 살았더니 지금 사는 꼴을 봐요."

그러자, 정희 씨의 어머니가 잠시 아무 말도 하지 않더니, 단호한 목소리로 말했다.

"얘,"

"응?"

"난 지금도 네 자랑만 하고 산다."

둘 사이에는 그 이후에 몇 분 동안 아무 말도 오고 가지 않았던 것으로 기억한다.

난 조용히 자리에서 일어나, 복도 중앙에 위치한 엘리베이터로 향했다. 그리고 엘리베이터를 타고 위로 올라가, 병원 6층에서 내려서는 바로 옥상으로 향하는 비상계단을 따라 걸어 올라갔다.

'끼익.'

옥상에는 바람이 시원하게 불고 있었다. 캄캄한 밤이었고, 별들은 반짝반짝 빛나고 있었다. 밤하늘 아래 드넓은 도시에서는 각각의 사람과 건물들이 빛을 내며, 밤을 밝히고 있었다. 그렇게 나는 다시 한 번 인간 세계의 아름다움을 홀로 만끽하고 있었다.

"당신은 유난히 풍경을 사랑하는 것 같군요."

어느새 내 옆에는 검은 코트를 입은 전달자가 와있었다. 그는 내가 풍경에 넋 놓고 있는 모습이 신기한 듯 했다. 나는 하얀 가운을, 그는 검은 코트를 입고 있으니 마치 흑과 백의 느낌이 절묘하다는 생각을 하고 있었다.

"현장에 있는 많은 동료들도 풍경을 볼 때마다, 저와 같이 느끼죠."

내가 대답했다. 그리고 나는 그를 보며 다시 말을 이었다.

"오늘도 중요한 일을 하나 치렀네요."

그러자, 그가 웃으며 대답했다.

"인간의 세계에서는 단 하루도 중요하지 않은 날이 없지요."

우리는 그렇게 몇 분 동안, 서로를 보지 않은 채로, 옥상에 서서 계속 주위를 둘러보고 있었다.

"유진이라는 딸. 왜 하필 정희 씨에게 오기로 결정한 거죠?"

침묵이 흐르는 도중, 내가 먼저 입을 열었다. 전달자는 아는 것이 많았기에, 이번 기회에 난 최대한 많은 정보를 얻어 보고 싶었다. 그는 딸의 담당자도 이미 만나보았기에 그 이유를 알거라 생각했다. 더군다나, 난 아직 딸의 담당자를 만나 본적이 없었다.

"외로울 거 같다더군요."

"네?"

"당신이 담당하고 있는 정희 씨가 견뎌내야 할 미래가 너무도 외로울 것 같아서 택했답니다."

"그 아이가 그래서 정희 씨를 원했다고요?"

내가 되물었다. 그러자 전달자는 나를 돌아봤다.

"네. 깨달음 주려는 거겠죠. 하지만 결국 본인도 함께 그런 외로움을 나누고는, 언젠가 두 사람이 같은 깨달음을 얻게 될 것 같습니다."

"어차피, 태어나는 순간 자신의 그런 선택들조차 모두 잊었을 테니까요."

내가 말했다.

대부분의 사람들은 태어나는 순간, 자신이 원했던 삶 그리고 자신이 선택한 사람들에 대해 모두 잊어버린다. 그 오랜 시간 다시 태어나기 위해 노력한 수많은 계획들을 말이다.

그래서 매 번 죽는 순간 후회하고, 다시 삶을 설계하며, 또 뜻을 이루지 못한 채 죽음을 맞이한다.

결국 우리가 곁에서 끊임없이 도와주고, 노력해야만 인간 스스로가 원하던 삶에 가까워진다.

인간이 그 모든 것을 기억 하진 못하지만, 한 가지 다행이라면 인간의 모든 무의식과 마음이 매순간 그 계획들에 알려 줄 뿐이다. 무의식적으로 스스로 원하던 인생을 살고 있을 때, 사람은 비로소 깊은 행복함을 얻는다.

사랑도 마찬가지다. 하늘에서 자신이 택해놓은 사람과 만났을 때야 말로, 심장이 그 사실을 주인에게 알려준다. 그 사람이 친구이던, 가족이던, 동반자이건 말이다.

정희 씨와 그녀의 딸도 이미 그 모든 선택을 잃어버렸을 것이다. 허나, 앞으로 잃어나게 될 모든 시련이 결국, 그녀들이 원하던 인생임을 언젠가는 깨닫게 될 것이다.

"그건 그렇고, 무슨 소식 때문에 왔죠?"

도시가 빛나는 모습을 가만히 지켜보다가, 내가 물었다. 그러자 갑자기, 그는 이제야 생각났다는 듯 두 손바닥을 쳤다. 그리고 나를 돌아보며 말했다.

"이 병원에 언젠가 당신이 알아야할 사람이 있어요."

"정희 씨랑 관련 있는 사람인 가요?"

내가 물었다.

"있다면 있고, 없다면 없는 것이 인연이죠."

전달자가 그렇게 나를 보며 말했다.

"어쨌든 얘기해보세요."

나는 그에게 귀를 기울였다.

옥상에는 여전히 시원한 바람이 불고 있었다. 그리고 하늘을 뒤덮는 별들이 밝게 빛나고 있었다. 각 별들이 사람의 인생을 나타내듯, 누군가는 밝게 빛나고, 누군가는 보이지 않았다.

그리고 저 멀리 별들 사이로 별똥별 하나가 떨어졌다. 인생이 바닥으로 치닫는 것 같지만, 때로는 그것이 소원을 이루어줄 기회인 것처럼 말이다.

5. 유진이의 다섯 번째 우연

-AM 03:58-

"오늘도 별이 참 예쁘군."

"그러게요. 달빛 때문에 하나도 안 보일 줄 알았는데 말이에요. 거기에 오늘 같이 소나기가 내린 밤하늘에 별이라니."

아저씨가 별을 가리키며 감탄하자, 나도 하늘을 보며 공감했다.

옥상의 바람은 여전히 추웠다. 하지만, 건물 안에서는 사람들이 기다리고 있었다. 우리는 이곳에서 빠져나갈 수 없었다. 우리 바로 앞에 보이는 난간 외에는 말이다.

스스로 만든 상황이면서도, 참 아이러니하게도 잠시 이곳에서 빠져나가고 싶다는 생각이 들기도 했다.

하지만 곧 우리의 대화가 끝나면, 나는 저 앞으로 떨어질 생각이다. 생각보다 너무 많은 시간을 지체하긴 했지만, 어차피 저 단단한 문을 열 수는 없을 테니까 나에게는 충분한 시간이 있었다.

뒤에서는 가끔씩 '쿵, 쿵.' 거리는 소리가 들렸다. 거기다, 안에서 사람 몇 명이 떠들어대는 소리도 들려왔다. 문은 단단했지만, 방음은 잘 안 되는 듯했다.

별을 보며 침묵이 흐르고 있는데, 아저씨가 먼저 입을 열었다.

"학생, 어머니한테 그렇게 말하고 속상하지 않아?"

"아까 통화 말이에요?"

"그래. 내가 처음부터 말했잖아. 살아 계실 때 감사하라고 말이야."

그런 아저씨의 눈 안에서는 미세한 그리움이 느껴졌다. 그리곤 안쓰러운 표정으로 나를 쳐다봤다.

"아니요. 어차피 너무 늦었어요. 이제 곧 끝낼 시간이에요."

내가 대답했다.

"학생,"

"네?"

그러자 갑자기 아저씨의 표정이 사뭇 진지하게 변했다. 그리고 다시 말을 이었다.

"학생이 계속 마지막이라고 말하니, 내가 한 마디만 하게 해주면 좋겠어."

"해보세요."

내가 대답했다.

"나 말이야. 아까도 얘기 했지만, 전에는 병원에서 근무했었어."

"의사니까요."

그러면서 내가 웃었다. 그러자 아저씨도 나를 보며 따라 웃었다. 그리고는 곧 비장한 표정을 지으며 나를 보았다.

"어느 날이었어. 전 날이 결혼기념일이었던 터라, 기분이 너무도 좋았던 날이었지. 멋진 외식을 하고 기분이 하늘을 찔렀으니까 말이야. 그 날은 평소보다 기분 좋게 병원 식구들에게 인사하고, 하루를 시작했었어. 매일 병원에서 지옥과 같이 피와 고통을 보면서도, 누군가 살아나고 기뻐하는 모습에 어쩌다 가끔 보람을 느끼는 의사에게는 그런 날은 더더욱 꿀맛과 같은 하루였거든."

아저씨는 그 때를 회상하며 미소 짓는 듯했다.

"부인을 많이 사랑하셨나보네요."

"그렇지. 가족을 너무도 사랑했지."

"그리고는요?"

아저씨는 젖은 바닥에 완전히 양반 다리를 하고 앉아서는 난간에 몸을 기댔다.

"그렇게 좋은 날 이라 그런지, 다른 동료의 부탁도 쉽게 거절을 못하겠더군."

그리고 아저씨는 잠시 눈을 감고, 그때의 상황을 떠올리는 듯했다. 그리고 한 숨을 쉬면서 말했다. 마치, 그 선택을 너무도 후회한 다는 의미로 느껴졌다.

"나에게 대신 당직을 서달라고 하더군."

"당직이요?"

"그래. 야간에 위급한 상황을 책임지는 역할이지. 모두가 야간에 일을 할 수는 없으니까, 돌아가면서 하게 되어있었거든."

"그래서요?"

"처음에는 망설이다, 나는 그냥 그날 하루만 내가 미리 해준다고 생각하기로 했어. 또 동료가 아는 사람이 상을 당했다고 말하는 데, 그런 부탁은 거절하기가 힘들었어."

그리고 아저씨는 숙이고 있던 고개를 들면서 나를 봤다.

"그 날도 나는 평소와 같이 당직을 서면서, 일을 하고 있었지. 그런데 이상하게 그날따라, 사고가 많더군. 아니 원래 응급실이야 원래 매일같이 정신없게 돌아가지만, 그날은 유난히 바쁜 밤이었어."

"힘들었겠네요. 그게 얼마나 일지는 상상조차 힘들지만."

그렇게 말하면서 내가 한 숨을 쉬었다. 모든 일이라는 것이 그렇게 곁에서 보는 것처럼 아름다울 수만은 없다는 것을 느꼈기 때문이었다.

"그랬지. 허나 시작은 너무도 기분 좋은 하루였어. 그런데 결국 새벽에 일이 터진 거야."

아저씨는 마치 눈앞의 광경을 직접 보는 것처럼 얼굴이 약간 질려있었다. 그것이 땀이었는지, 아니면 아까 맞은 비였는지는 잘 알 수 없었지만, 아저씨의 이마에는 분명 물줄기 같은 것이 흘러내리고 있었다.

"많이 무서운 일이었나요?"

그러자, 아저씨는 한 쪽 팔을 들어, 흐르는 물줄기를 닦아냈다.

"그랬지. 정신없이 일하고 있는 도중, 한 현장에서 비에 젖은 대원들이 우리 병원으로 두 명의 환자를 데려왔었어."

"현장이요?"

"그래. 화재 현장이었어."

나는 화재 현장이라는 말에 무언가 섬뜩해졌다. 그리고 마음속에 누군가가 떠올랐다. 뒤에서는 여전히 문소리가 들려왔고, 아파트 아래서는 사람들이 시끄럽게 소리를 내고 있었다.

"한 아이는 약간의 화상, 그리고 한 아이는 온몸과 얼굴에 심한 화상을 입은 상태였어. 하지만 둘 다 숨쉬기조차 힘든 상황이었어. 그땐 둘 다 위급한 상황이지만, 특이나 한 명은 목숨이 걸린 상황이었지."

나는 점점 알 수 없는 불안감에 마음에서 솟구치기 시작했다. 마치 마음이 끊임없이 신호를 주는 것처럼 쿵쾅거렸다.

"허나, 나는 그 순간 모든 판단력이 흐려지고 말았어. 누가 더 위급한지, 당장 무엇을 해야 하는지 알아야 했지만, 도저히 정신을 차릴 수가 없더군."

"왜죠?"

내가 쿵쾅되는 가슴을 부여잡고 물었다.

그러자 아저씨가 고개를 돌려, 나를 쳐다봤다.

"한 아이가 내 딸이었으니까."

나는 아무 말도 하지 못했다. 점점 내가 들은 이야기, 겪었던 이야기와 너무도 흡사하다는 것을 눈치 채기 시작했기 때문이었다. 심장이 그렇게 나의 불안함을 증명해주고 있었다.

"아빠, 오빠는?"

잠에서 깨어났다. 나는 곧바로 오른 손을 들어 눈을 비볐다. 정신을 차리고, 주위를 보니 나는 달리는 차 뒷좌석에 누워 있었다.

"아빠, 오빠는?"

아빠에게서는 별 대답이 없었고, 그저 차 유리에 떨어지는 빗물소리만 들릴 뿐이었다. 나는 다시 잠을 청하기로 했다. 다시 자리에 웅크리고 눈을 감았다. 허나 잠은 오지 않았다. 아까 오빠가 했던 행동들이 머릿속에서 아른거렸다.

엄마가 문을 열고 나간 사이, 나는 무서워서 소파에 앉아 웅크리고 있었다. 잠시 후, 고개를 들어보니 오빠가 내 앞에 서있었다. 오빠는 너무 걱정 말라며, 나에게 미소 지었었다.

오빠는 곧 부엌으로 가더니 냉장고를 뒤적거렸다. 그리고 그 안에서 종이팩에 들은 오렌지 주스를 꺼냈다. 컵을 식탁에 올려놓더니, 콸콸 거리는 소리가 들려왔다.

오빠는 컵을 들고 나에게 걸어왔다. 나는 그것을 받아, 벌컥벌컥 들이켰다. 시큼하고 단맛이 혀 안에서 전해졌다.

"다 먹으면 싱크대에 놓고, 이빨은 꼭 닦고 자."

"응."

"어디 나가지 말고."

"오빠, 어디가?"

오빠는 할 일이 있으니, 나에게 집을 잘 지키라고 했었다. 하지만 결국 돌아오지 않았다. 얼마나 시간이 흘렀을까. 아빠는 허겁지겁 달려 들어와 자고 있던 나를 깨웠다. 아빠의 손에 이끌려 나는 서둘러 차에 올라탔었다.

얼마 후에 눈을 떠보니, 아빠가 병원 같은 곳에서 나를 밖으로 끌어냈다. 순간 차갑게 떨어지는 물줄기에 놀라 잠이 달아나 버렸다.

밖에는 계속해서 비가 오고 있었고, 급하게 나온 얇은 옷차림 이었던 터라 꽤 춥게 느껴졌다.

"콜록."

내가 가볍게 기침을 했지만, 아무도 내 기침을 듣지는 못했다. 정신없이 뛰어다니는 사람들의 소리와, 빗소리에 모든 것이 묻혀버린 듯했다. 나는 또 다시 아빠의 손에 이끌려, 엄마 근처로 다가갔다.

엄마는 뒷문이 활짝 열려있는 구급차 앞에서 멍한 표정으로 나를 바라봤다. 잠시 후, 우리는 병원 안으로 들어갔고, 정신없이 병원 안을 뛰어다니는 엄마를 따라 다녔다. 나는 점점 무서움을 느꼈다. 무언가 상황이 급박했고, 엄마는 계속 크게 울어댔으니까.

간호사들이 달려와, 우리를 커다란 문 앞으로 끌고 갔다. 그리고 곧 초록색 의자로 데리고 갔다.

"여기서 기다리세요. 안에서 선생님이 응급 치료중이십니다."

나는 무슨 일인지, 영문도 모른 채 그 앞에서 계속 울어댔다. 그냥 무서운 느낌이 들었다. 그러다 지쳐서 울음마저 나오지 않으면, 아빠의 옷깃을 잡으며 말했었다.

"아빠, 오빠는?"

그러나 아빠는 여전히 대답이 없었다.

그 이후로, 시간이 흐르면서 나는 점점 그날의 기억들을 모두 잊었었다. 내가 중학생이 되었을 때, 엄마에게 그 이야기를 듣긴 했었지만, 오빠가 착하게 살다가 갔다고만 느낄 뿐, 그 기억은 오랫동안 나질 않았다. 아니, 어쩌면 기억은 있었지만 기억하지 않으려고 애썼는지도 모른다.

오빠의 장례식이 끝나고 며칠이 흐른 밤, 나는 잠자리에 들며 생각했다. 오빠가 꿈에 나오기를 말이다. 허나 오빠는 태어나 한 번도 나에게 무엇을 잘못한 적이 없었다. 항상 나를 챙겨주고 사랑했기 때문이었다. 그러니 오빠는 굳이 나에게 용서 같은 것을 빌기 위해 찾아올 필요가 없었다.

"결국 나는 내 딸을 살려내긴 했지. 하지만 그 남자 아이를 먼저 살렸어야 했어. 더 위급한 환자를 말이야. 나도 알아. 하지만 오로지 나는 내 딸에게만 정신이 팔린 상태였지."

내 눈에는 어느새 눈물이 방울지고 있었다. 가슴 안에 갇혀 있던 원망이 솟구쳤다. 그리고 몸이 부르르 떨리기 시작했다.

"도, 도대체 뭐, 뭐에요."

내가 말했다. 크게 소리치고 싶었지만, 가슴 속에서 막히는 무언가가 마치 날 소리칠 수 없게 하는 것만 같았다. 아마 이 사람은 모든 것을 미리부터 알고 있는 듯했다. 그것이 나를 더욱 큰 배신감으로 빠뜨리고 있었다.

"날 원망해도 돼."

점점 정신이 혼미해져 갔다. 잊고 있던 모든 세월들이 머릿속을 떠도는 느낌이었다.

"그것은 돌이킬 수 없는 선택이었어. 너무 미안해. 하지만, 눈앞에 딸이 있었다고. 결국 나도 그 후로 의사로서의 죄책감을 떨치기가 힘들었어. 너무 오랜 세월을 술로 보냈어. 아내와 딸에게 다신 보여주고 싶지 않은 추한 꼴을 보이며 지냈지."

"상관없어요. 그런 건 내 알바 아니니까."

우리는 몇 시간이나 이곳에서 즐거운 이야기들을 나눴다. 허나, 결국 아저씨는 마치 이 이야기를 위해 지금까지 시간을 끌고 있던 것 같았다.

'이 사람 처음부터 그런 거였어.'

"결국 당신도 저기 있는 사람들과 다를 바 없어요."

나는 옥상의 출입문을 가리켰다.

오빠를 돌려달라고 하고 싶었다. 하지만 그도 그럴 힘이 없음을 나는 알고 있었다. 그래서인지 눈물은 도저히 마르질 않았다.

"아까도 말했지만, 날 원망해도 돼."

나는 오히려 그 소리에 더 화가 났다.

"나보고 어떻게 하라고?! 어?! 당신이 모든 걸 고쳐 놓을 것도 아니면서, 어? 뭐? 원망하라고?! 그게 말이 된다고 생각해요?!"

가슴 안에 있던 응어리가 세상 밖으로 나오기 시작했다. 빗물이 가득고인 바닥에 주저앉아 한 없이 울면서, 아저씨를 주먹으로 때리기 시작했다. 허나, 손에 도저히 힘이 들어가질 않았다. 온몸에 힘이 빠지고, 머릿속이 욱신거리고 간지러웠다. 그리고 가슴이 탁 막혔다.

"학생, 나 말이야."

나는 전혀 듣지 않고 있었다. 더 이상 들을 필요가 없는 말이었다. 그저 모든 것이 이 사람 때문이라 생각되었다. 하지만, 나는 천천히 고개를 들었다. 그의 두 눈도 나와 마찬가지로 울고 있었다.

"캄캄한 숲을 지나왔어."

그 소리에 나는 두 눈을 커다랗게 떴다.

"그리고 용서를 빌러왔어."

이 사람의 사과 따위 필요 없었다. 그저 내가 기다린 것은 당신이 아니라, 오빠라고 말하고 싶었다. 눈물이 멈추지 않았다.

나는 두 주먹을 쥐었다. 하지만, 차마 아저씨를 때리지도 못하고 혼자 소리만 지를 뿐이었다.

"용서 따위 내가 알바 아니라고! 도대체 지금까지 시간이나 끌고, 여기서 나랑 뭐 하자는 거였냐고! 어?!"

내 앞의 서 있는 사람이 너무도 미웠다. 그는 더 이상 오늘 나를 웃고 울게 한 아저씨가 아니었다. 세상에서 가장 밉고 증오하는 사람이었다. 그러자 곧 그가 앞으로 발을 내딛었다. 그리고 그는 다시 한 발자국 앞으로 다가왔다.

그는 곧 내 앞의 웅덩이 위에 섰다. 하지만, 물 위에서는 그 어떤 파동도 생기지 않았다.

곧 그가 몸을 숙이며 내게 말했다.

"너 만큼은 살리려고."

웅덩이에 비친 달빛은 변함없이 옥상을 밝히고 있었고, 바람은 너무도 잠잠했다. 뒤에 있는 문에서는 끊임없이 시끄러운 소리가 울려 퍼졌고, 빗물이 고인 웅덩이 위에는 내 모습 외에는 그 누구도 비치지 않았다. 손에 들고 있던 핸드폰은 마지막으로 부르르 몸을 떨더니 소리 없이 전원이 꺼져 버렸다.

그리고 바닥에는 여전히 아까 먹다 버린 쓰레기들이 널브러져 있었다. 오직 빵 봉지 한 개와 우유 팩 한 개가 말이다.

그 자리에 그의 흔적들은 어디에도 보이지 않았다.

6. 연희의 다섯 번째 우연

-AM 04:15-

"문 밖이 시끄러워."

현관 근처에서 서성거리던 민기가 말했다. 밖에서는 꽤 여러 사람의 목소리가 들려왔다. 나도 초조해서 자리에 더 이상 앉아 있기가 힘들었다. 집안을 둘러봤다. 왼쪽 벽에는 커다란 액자가 걸려있었다. 아주머니 그리고 남편으로 보이는 남자가 보였다. 그 앞에는 중학생 정도로 보이는 여자아이도 있었다.

우리가 앉아 있는 테이블 위에는 조그마한 흰색 액자가 놓여있었다. 그 사진 속에는 어린 여자아이가 빨간 자전거를 세워놓고 웃는 모습이 있었다.

"아주머니 따님이신가요?"

내가 손으로 액자를 가리켰다.

"응. 그렇지. 우리 딸이야."

아주머니는 액자를 보더니, 환하게 웃어보였다. 무척이나 행복해 보이는 표정이었다.

"아마 너희들 또래 정도 될 거다. 너희가 고2? 고3?"

"고3이요."

현관에 있던 민기가 대답했다.

"응. 그래. 우리 딸도 고2야. 비슷한 또래지."

"아, 그러네요."

내가 말했다.

"그런데 말이야, 이 빨간 자전거 있지? 어느 날 경비 아저씨가 누가 안 쓰는 걸 깨끗이 다듬어서 선물로 가져다주더구나."

"아, 그래요? 정말 좋은 분이네요."

"그치. 근데 우리 딸이 사실 어릴 때는 굉장히 소극적이고, 얌전해서 아이들한테 놀림도 많이 받았거든."

"많이 속상 하셨겠네요."

"응. 근데, 이 자전거를 타면서부터 동네 아이들하고 이곳 저곳을 돌아다니더구나. 중학교에 들어가더니만 외발 자전거까지 하나 사달라고 어찌나 조르던지."

어느새 민기도 내 옆자리에 와서 의자에 앉았다. 우리 얘기를 계속 듣고 있었던 것 같았다.

"그 다음 엔요?"

민기가 물었다.

"지금은 체대에 가겠다고 준비 중이란다. 타고난 재능이나 실력은 없을지 몰라도, 본인이 너무도 즐거워하니 난 그걸로 만족하고 있지. 성격도 많이 바뀌어서 보기 좋고 말이야."

나도 모르게 입가에 미소가 지어졌다. 그리고 다시 옆에 있는 액자를 바라보며, 자전거 하나가 사람의 미래를 얼마나 바꿔놓았는가에 대해 생각했다. 지금 쯤 저 아이가 어떤 생각과 행복을 가지고 하루하루 지내고 있을지 머릿속에 그림이 그려졌다.

민기도 나와 비슷한 생각을 하고 있는 것 같았다. 더군다나 요즘 들어, 곧 학원을 그만둘 생각에 고민이 많은 민기였으니까 말이다.

"아주머니, 좋은 이야기 감사합니다. 그런데 저희 잠시 나가봐야겠어요."

민기가 자리에서 일어나며 말했다.

"아, 아니, 학생. 지금은 나가면 안 되지 않나? 경비원도 신신 당부했는데 말이야."

표정을 보니, 아주머니는 우리들이 행여나 다치지는 않을까 걱정하는 듯했다.

"괜찮아요. 걱정 안하셔도 되요."

내가 아주머니를 향해 웃으며 말했다.

우리가 현관문에 손을 대자, 아주머니도 딱히 우리를 잡지는 않으셨다.

"조심해서 가봐. 친구 큰일 나지 않게."

우리는 아주머니를 향해 고개를 한 번 숙이고는 다시 문을 열고, 밖으로 나갔다.

위에서는 이런저런 둔탁한 기계소리와 사람들의 기합 넣는 소리 들이 들려왔다. 아마 사람들이 문을 열기 위해 분투하고 있는 듯했다.

집안에서 쉬는 동안, 나는 조심스레 부모님께 전화를 걸었었다. 그리고 현재의 상황을 전부 털어놨었다. 처음엔 두 분 모두 많이 놀라셨지만, 이내 마음을 가다듬고는 곧 이곳으로 올 거라 말씀하셨다.

유진이 어머니는 그 안에서 아직도 나오지 못하신 듯했다. 유진이 어머니 말에 의하면 구조대원들조차도 이런 경우는 처음이라며, 당황한 표정들이라고 말씀하셨다.

계단을 몇 계단 오르니, 경비 아저씨가 구조대원들보다 몇 계단 아래 서서 유유히 그 모습을 지켜보고 있었다.

'아무리 봐도 이상한 아저씨야.'

난 그렇게 생각했다.

몇 분이 지났을까. 경비 아저씨는 천천히 자신의 소매를 걷어 올렸다. 그리고 왼쪽손목에 차고 있던 자신의 시계를 보더니, 활짝 웃었다.

'쾅!'

그리고 그와 동시에 단단했던 쇠문이 열렸다.

모두가 소리를 지르며, 허겁지겁 옥상 안으로 향했고, 넋 놓고 그 광경을 보던, 나와 민기도 그 뒤를 따라 들어갔다.

"유진아!"

어두운 옥상 안에서는 유진이의 아버지가 유진이를 부르는 소리가 들려왔다.

커다란 달빛 아래서 옥상이 환하게 빛나고 있었다. 거기에는 온 몸이 비에 젖은 듯한 유진이가 난간 근처에 서있었다. 젖은 머리카락들이 묵직하게 바람에 흐느적거렸다.

유진이의 오른 손에는 반쯤 깨져있는 날카로운 맥주병이 들려있었다. 유진이는 난간 근처로 걸어가더니, 우리를 향해 다가오지 말라고 했다. 얼굴을 보니, 한참을 울고 있던 표정이었다. 아니, 여전히 울고 있는 듯했다. 마치 겁에 질린 아이처럼.

"유, 유진아. 아, 아빠가 잘못했다."

무리 속에 유진이의 아버지가 가장 먼저 손을 들고, 천천히 유진이에게 다가가기 시작했다.

유진이는 더욱 서러운 울음을 토해내며, 계속 다가오지 말라는 말을 반복했다. 그러자 유진이 아버지도 그 자리에 멈춰서는 천천히 바닥에 두 무릎을 꿇었다.

구조대원들도 함부로 유진이에게 다가가지 못하고, 제자리에 선 채로 움직이지 않고 있었다. 아마, 대원들은 유진이가 방심하는 순간을 기다리고 있는 듯했다.

"아빠도 결국 그 의사랑 똑같아."

유진이가 말했다. 그러자 옆에서 민기의 아버지가 잠시 놀라는 듯했다. 허나 이내 다시 상황에 대한 경계를 유지하는 듯했다.

유진이는 학교에서 봤을 때보다, 아니, 그 어느 때보다 거칠고 무서워보였다. 더군다나 비를 흠뻑 맞은 모습이 마음안의 괴로움을 더하는 듯했다. 하지만, 울고 있는 모습만큼은 영락없는 유진이였다.

"유진아, 용서해라. 나도 그런 엄마를 견뎌내기 너무 힘들었다."

그러자 유진이가 코웃음을 쳤다.

"나랑 장난하자는 거지? 엄마가 그러기 전부터 시작된 일이잖아. 그건 나도 오빠도 다 알고 있던 일이야."

둘은 그렇게 우리가 알 수 없는 이야기를 떠들기 시작했다. 다른 사람들은 그 모습을 멍하니 지켜볼 뿐, 더 이상 다가가지 못했다. 때 마침 대원 한 명이 움직이려 하자, 유진이는 맥주병을 자신의 목에 가져가며, 더욱 난간 밖으로 한 발짝 물러났다. 다른 대원 한 명이, 움직이려던 대원을 향해 손으로 경고를 보냈다.

그 때 내 옆에서 민기는, 조용히 핸드폰으로 누군가에게 통화 버튼을 눌렀다. 그리고 조심스레 바닥에 핸드폰을 내려놓았다.

"나, 나도 다시 돌아오려고 했어. 하지만, 그건 아주 잠깐이었다고. 그런데, 그런데, 진웅이가 그렇게 되었어. 나도 엄마도 견딜 수 없이 괴로웠다. 나는 그 모든 것이 내 탓 같이 느껴졌어."

그러면서 유진이 아버지도 결국 두 손으로 바닥을 짚고, 울음을 터뜨렸다.

"그렇다고 변하는 건 없잖아."

유진이의 대답은 차가웠다.

"엄마가 그렇게 되어버린 것도 내 탓 같았고, 네 오빠도 마찬가지였어. 나는 결국 모든 것을 버리고 떠났었다. 죄책감에서 해방되길 바라면서 말이야. 허나 오늘에서야 깨달았어. 난 한 번도 그 이후로 죄책감에서 벗어난 적이 없었다는 것을 말이야. 그러니 용서해줘, 유진아."

유진이도 그리고 유진이의 아버지도 여전히 울고 있었다. 허나 유진이는 물러설 생각이 없는 듯했다.

"이건 단순히 오빠에 대한 단순한 죄책감 같은 것이 아니야. 아직도 모르겠어? 그 의사가 전부 말해줬다고…. 자신의 실수였다고…. 하지만 그렇다고 아빠가 한 짓이 모두 사라지진 않아. 어차피 오빠를 둘러싼 모두의 잘못이기도 하고 말이야."

"그건 어쩔 수 없는 사고였어. 유진아. 내가 미안하다. 유진아."

유진이의 아버지는 계속해서 같은 말을 반복하고 있었다.

"시끄러운 변명일 뿐이야. 전부 똑같아."

"대신 오빠가 화재 속에서 여자아이를 구했잖니. 그치? 유진아?"

"그렇다고 오빠가 돌아오진 않아. 결국 그건 그 의사도 마찬가지겠지만."

옆에서 누군가 앞으로 한 걸음 나아가는 소리가 들렸다.

"뭐라고?!"

갑자기 옆에서 민기의 아버지가 크게 소리쳤다. 하지만

곧 옆에 있던 구조대원들이 그를 막아섰다.

"말해줘! 어떤 의사였는지!"

또 다시 민기의 아버지가 유진이에게 소리쳤다. 그러자 구조대원 몇 명이 그를 잡아 바닥에 눕혔다. 그리고 곧바로 유진이가 그쪽을 향해 고개를 돌리며 말했다.

"유, 유진이라는 딸을 가진 의사."

유진이의 목소리는 가늘게 떨리고 있었다.

그 말을 듣자, 민기의 아버지는 바닥에 누워 숨이 넘어갈 듯 울고 있었다. 아니, 어쩌면 웃고 있는 것 같기도 했다. 기쁜 것인지 아니면 슬픈 것인지 알 수가 없었다. 옆에서 그 얘기를 들은 민기도 많이 놀랐는지, 눈이 한껏 커져서는 멍하니 바닥을 보고 있었다.

그때 유진이는 한 발자국 더 뒤로 향했다. 그리고 바로 난간 코앞에서 나를 쳐다보았다. 그 순간 등 뒤에서 소름이 돋았다. 마치 곧 무서운 공포가 우리를 덮칠 것만 같았다.

"하늘은 누군가 돕는 순간을 언제 결정할까?"

유진이가 난간을 천천히 한 발씩 오르며 혼자 중얼거렸다. 그리고는 곧 그 위에서 뒤로 돌고는, 하늘을 보았다. 유진이는 한 쪽 팔로 여전히 깨진 맥주병을 자신의 목에 대고 있었다.

'지금이었으면 좋겠어.'

나는 속으로 그렇게 생각했다.

그 때였다. 갑자기 뒤에서 우리를 지켜보던, 경비 아저씨가 한 발자국 씩 천천히 앞으로 걸어갔다. 대원들이 큰소리로 경고했지만, 그 아저씨는 말을 듣지 않았다. 그리고는 유진이와 조금 떨어진 곳에서 발걸음을 멈추었다.

"아마 산이었을 거야."

아저씨가 입을 열었다. 순간, 유진이의 어깨가 들썩였다. 아마 무언가에 매우 놀란 듯했다.

"언젠가 너에게도 그런 날이 올 거라고 했었지."

그 소리를 듣고, 나는 눈이 휘둥그레졌다.

아저씨는 웃고 있었다. 그리고 나방 한 마리가 아저씨의 어깨 위에 앉아 있는 것이 보였다. 나는 곧바로 유진이의 뒷모습을 보았다. 마치 그 모습이 서럽게 흐느끼고 있는 듯했다. 쉴 새 없이 유진이의 어깨가 들썩거렸다. 다른 사람들은 모두 영문을 몰라, 멍하니 그 상황을 지켜볼 뿐이었다. 유진이의 아버지는 여전히 바닥에 얼굴을 묻고, 일어나지 못하고 있었다.

"그게 오늘이란다."

그 말을 듣자, 나도 모르게 두 눈에서 눈물이 나왔다. 이

상황을 이해하는 것은 유진이와 나뿐이었으니까.

잠시 후, 유진이는 고개를 반쯤 돌려 나를 보았다. 그리고 그동안 보지 못했던 가장 환한 미소 지었다. 나는 유진이가 무언가 확고한 결심했다는 것을 직감할 수 있었다.

그 때였다. 유진이가 바람이 불어오는 난간 끝에 섰다. 그리고는 밖을 향해 천천히 몸을 기울였다. 그와 동시에 옥상에 있던 모두가 순식간에 그쪽을 향해 달려들었다.

7. 정희 씨의 다섯 번째 우연

-AM 04:49-

"안 돼!"

내가 자리에서 벌떡 일어나며 소리쳤다. 심하게 정신이 혼미해졌다. 무언가 옥상에서는 상황이 이상하게 돌아갔음을 직감적으로 알 수 있었다. 핸드폰에서는 더 이상 옥상에서 오고가던 대화가 들리지 않았다. 그 안에서 들려오는 것은, 그저 사람들이 시끄럽게 소리치는 소리뿐이었다.

"드디어 열렸습니다!"

갑자기 문 밖에 있던 한 구조대원이 소리쳤다. 그리고는 엘리베이터의 문이 가볍게 열리기 시작했다. 신기한 것은 그 오랜 시간동안에도 문은 열리지도, 찌그러지지도, 절단되지도 않았다. 그런데 마치 기다렸다는 듯이 저절로 문이 열리자, 구조대도 당황한 모양이었다.

구조대원 한명이 나에게 다가와 손을 내밀었지만, 나는 그 손을 뿌리치고 정신없이 계단을 뛰어오르기 시작했다. 뒤에서는 사람들이 놀라서는 나를 향해 무어라 소리를 질러댔다.

　정신없이 계단을 올라갔다, 나는 구두를 한 개씩 바닥에 집어 던졌다. 더 이상 구두 같은 것이 중요하진 않았다. 오로지 내 마음 안에서는 딸을 봐야한다는 생각만이 가득했다.

　계단을 한 계단, 한 계단 오르며 떠오른 생각하나가 있었다. 유진이가 무척이나 어렸을 때였을 것이다. 그 날도 이렇게 정신없이 계단을 뛰어 올랐던 날이었다.

　유진이는 매우 어린 갓 난 아기였고, 친정 엄마가 가끔 나대신 아기를 봐주던 때기도 했다.

　나는 잠시 아르바이트 식으로 친구네 가게 일을 돕고 있었다. 아마 광복절이었던 것으로 기억한다. 점심시간 쯤 엄마에게 급한 전화 한통을 받았었다.

　"정희야. 글쎄, 큰일 났다. 네가 좀 와봐야겠다. 애가 열이 펄펄 끓는다."

　그 말을 듣고는, 입고 있던 앞치마를 집어 던지고 나는 곧장 지나가던 택시를 잡았었다.

　아파트에 도착하니, 때 마침 엘리베이터가 점검 중이던 날이라, 나는 미친 듯이 계단을 뛰어올랐었다. 아들을 하나

키운 경험이 있으면서도, 어린 아기는 너무도 연약한 존재임을 알았기에 걱정이 이만저만이 아니었다.

"엄마! 유진이, 유, 유진이, 어디 있어?"

나는 그렇게 현관문을 열어 재끼며, 신발을 벗어던지고는 방안으로 뛰어 들어갔었다.

그날 곧바로 유진이를 안고 울면서 병원을 향해 달렸던 것으로 기억한다. 그리고 보니 이제야 생각난 거지만, 뭣 모르고 나는 괜한 친정엄마를 탓했었다. 내가 평소에 유진이에게 신경을 썼더라면 아프지 않았을 텐데 말이다. 어쩌면 나는 자책하고 싶지 않은 순간마다, 누군가를 탓해왔는지도 모른다. 그렇게 어떤 시련이 오는 순간 마다 세상을 그렇게 비난하며 살아왔는지도 몰랐다. 계속 말이다.

유진이에게 주사를 맞게 하고, 약을 먹이고 집에 돌아왔었다. 하루가 지났을까. 나는 유진이가 힘차게 울어대는 소리에 잠을 깼다. 밥을 달라는 소리 같았다. 하늘에게 너무도 감사했다. 매일 아기 우는 소리에 잠을 설쳤던 기억이 머릿속을 지나갔다. 그리고 속으로 말했었다.

'앞으로는 이렇게 매일 울어주렴.'

나는 그날로 하늘을 향해, 몇 번이고 감사하다는 말을 했었다. 지금처럼 우리 딸아이를 평생토록 지켜달라고 말이다.

몇 층 정도를 올랐을까. 어느 정도 계단을 올라갔을 때, 지친 기색으로 내려오는 전 남편의 모습이 보였다. 그리고 곧바로 눈앞에 커다란 담요에 쌓여 구조대원들과 함께 계단을 걸어 내려오는 한 여자 아이를 보았다. 딸이 사람들에게 둘러싸여 부축을 받고 있던 터라 처음에는 잘 보이지 않았지만 확실한 유진이었다. 딸의 오른 손은 피가 번진 붕대로 감겨 있었고, 머리와 몸은 온통 젖은 채였다.

많은 사람들이 함께 내려오고 있었지만, 나는 내 앞에 그저 유진이가 살아있다는 것에 하늘에 대고 감사했다.

나는 그 앞으로 달려가, 유진이의 두 다리를 끌어안고 바닥에 앉아 울었다. 그저 계속해서 울었다. 주위에 많은 사람들이 있었지만, 더 이상 신경 쓰이지 않았다.

나는 고개를 들어, 유진이를 보았다. 무표정이었다. 그것보다 너무 많이 지쳐보였다. 나는 그저 다시 고개를 숙이고 이 엄마를 모두 용서하라고 말했다. 내가 그 이상에 아무것도 해줄 말은 없었다. 그러자, 유진이가 손으로 내 머리를 만지는 것이 느껴졌다.

나는 고개를 들어 다시 유진이를 보았다.

"세 번째야."

그렇게 말하는 유진이의 두 눈에서는 조금 씩 눈물이 흐르고 있었다.

"뭐, 뭐가 말이니? 유진아?"

유진이는 말이 없었다. 그러다 잠시 후, 유진이의 무표정한 얼굴이 환한 얼굴로 바뀌었다.

"이 번이 세 번째야."

무슨 말인지, 알 수는 없었지만 딸이 무언가 기뻐하는 것만은 분명했다. 그래서 나도 딸의 얼굴을 보며 따라 웃었다.

곧 밑에서부터 나를 따라 올라온 구조대원들이 나를 부축했다. 많은 사람들이 함께 계단을 내려갔고, 다들 매우 지쳐있는 상태였다. 그 중 대화하는 사람은 거의 없었다.

뒤에는 유진이 친구로 보이는 아이들이 보였다. 나는 그 아이들을 향해 고개를 돌려 계속 감사하다는 말을 전했다. 어쩌면 저 아이들이 아니었다면, 나에게나 유진이에게나 위험할 수도 있었던 하루였으니까. 아이들은 많이 지쳤는지, 별 말이 없이 가볍게 목례를 하였다. 나는 고개를 돌려 다시 앞을 보았다. 그리고 계속 부축에 의지해 걸어 내려갔다.

"경, 경비 아저씨가 없어…."

한 참 뒤에 여자 아이가 뒤에서 입을 열었다.

"응. 어디론가 가버렸어."

곧 남자 아이가 힘없이 대답했다.

그 이후로, 가장 아래 층 다다르는 순간까지 계속 정적이 흘렀다. 우리는 아파트 출구에 다다랐고, 내 옆에 있는 남자 두 명이 문을 열어주었다.

모두가 아파트 출구를 나오자, 수많은 사람들과 기자들이 그 앞에 기다리고 있었다. 시끄러운 소리와 여기저기서 보이는 번쩍임이 귀와 눈을 아프게 할 지경이었다. 몇 명의 경찰들이 길을 만들어주었고, 딸과 나를 구급차에 태웠다. 우리는 시끄러운 사이렌이 울리는 차안에서 오랫동안 말이 없었다. 옆을 돌아보니, 유진이는 편안히 들것에 누워 자고 있는 듯했다.

나 또한 너무 피곤했고, 지쳐있었다. 나는 옆에 앉은 구급대원을 보았다.

"몇 시죠?"

그가 왼손에 차고 있던 손목시계를 보여주었다. 어느 덧 시간은 새벽 5시 5분을 가리키고 있었다. 나는 천천히 몸을 웅크리고 내 무릎 위에 얼굴을 묻었다. 서서히 어둠과 무거움이 내 온몸을 감싸는 느낌이 들었다. 마치 나를 땅으로 끌고 가는 듯한 무거움이 느껴졌다. 그리고 온몸이 나른했다.

심장은 가쁘게 뛰었지만, 너무도 행복했다. 또 마음이 편안했다. 나는 눈을 감았다. 눈앞이 온통 어둠이었다. 구급차에 시동이 걸렸다. 순간 차안이 환해짐을 느꼈다. 사이렌 소리가 들려왔다. 차가 흔들리고 사람들의 소리도 시끄럽게 들려왔다. 차가 움직이기 시작했다. 나는 누워있는 유진이를 향해 손을 뻗었다. 유진이의 팔은 유난히 찼다. 나는 그대로 붕대와 함께 피가 얼룩져있는 유진이의 오른손을 어루만졌다. 그리고 다시 눈을 감았다. 그러자 서서히 눈앞의 어둠이 빛으로 물들기 시작했다.

곧 밝은 빛들이 내 온 몸을 휘감았다. 그렇게 난 그대로 편안히 잠들었다.

에필로그

그들의 대화

작은 문을 통과해 다시 되돌아오니, 눈앞에는 양쪽으로 하얀 벽들이 놓여있었다. 내가 가장 좋아하는 하얀 빛이 넘실거리는 복도를 지나, 나는 곧 관리인이 있던 곳으로 향했다.

오늘 하루 동안은 정말 큰일을 마친 터라, 그저 잠시라도 마음 편히 쉬고 싶었다. 솔직히 말하자면, 실수 없이 모든 것이 잘 해결되어 기쁜 하루이기도 했다.

"일은 어떠셨나요?"

내 뒤에서 몇 개의 서류철을 들고 오던 관리인이 물었다.

"생각대로 잘 해결되었네요."

그렇게 말하며, 나는 어제 새벽에 보았던 아기를 찾기 위해 주위를 두리번거렸다.

"그 아기라면, 일단 다른 관리팀이 저쪽에서 기획 작업을 위해 데리고 있어요."

그렇게 관리인은 이미 내가 무엇을 원하는지 이미 눈치챘다는 듯이 말했다.

"어디로 보낸 다고 했죠?"

내가 물었다.

"아까 말했던, 미망인의 집으로요."

"하지만 미망인이면, 남편이 없겠군요?"

내가 다시 물었다.

"상부에서는 그녀가 반년 후에는 재혼 할 거라고 하더군요."

관리인은 그렇게 말하면서 책상에 걸터앉았다. 그리고 그가 잠깐 고개를 돌리자, 귀와 눈 사이에 그리고 목에 있는 넓은 흉터가 눈에 뛰었다.

"얼굴에 있는 흉터들은 뭔가요?"

내가 물었다.

"화상이에요."

"화상이요?"

내가 화들짝 놀라자, 그는 잘 기억이 안 난다는 듯 대답한다.

"네. 제가 인간이었을 때, 얻은 거라고 하던데 이유는 잘 모르겠네요."

그는 웃으며 머리를 긁적거렸다.

"기억을 잃었군요."

내가 진지한 표정으로 대답했다.

"네. 인간일 때의 기억은 간직하면 안 되니까요."

그가 그렇게 말하자, 나는 다시 한 번 그의 얼굴을 자세히 들여다봤다. 이제야 알 수 있었다. 그가 신참인데도 불구하고 나에게 낯이 익던 이유를 말이다. 내가 그를 보고 한참을 웃고 있자, 그가 이상하다는 듯이 나를 쳐다봤다.

"왜 그러시죠?"

관리인이 물었다. 나는 잠시 아무 말도 하지 않고 있다가, 고개를 저었다.

"그냥 아무 것도 아니에요"

"아무래도 뭔가 있는 것 같은데요?"

그의 말에 내가 큰 소리로 웃었다. 그리고 그를 보며 다시 입을 열었다.

"그저 가끔, 상부의 계획은 참 놀랍다는 생각이 들어서요."

내가 그렇게 말했지만, 그는 여전히 고개를 갸우뚱 거리고 있을 뿐이었다.